理系のための中国語
《発展編》

中国地区高専中国語
中国教育研究会

好文出版

もくじ

LESSON 1 自己紹介と歓迎会

科　长：我　来　介绍　一下，这位　是　新来　的　日本　技术员
Wǒ lái jièshào yíxià, zhèwèi shì xīnlái de Rìběn jìshùyuán

山本　浩二。请　大家　多多　关照　啊。
Shānběn Hào’èr. Qǐng dàjiā duōduō guānzhào a.

山　本：大家　好。我　叫　山本　浩二。啊，我　姓　山本。
Dàjiā hǎo. Wǒ jiào Shānběn Hào’èr. Ā, Wǒ xìng Shānběn.

请　多　关照。
Qǐng duō guānzhào.

张婷婷：山本　先生，　欢迎　你。没　想到　你　会　说　汉语。
Shānběn xiānsheng, huānyíng nǐ. Méi xiǎngdào nǐ huì shuō Hànyǔ.

山　本：会　一点儿。我　在　日本　自学　一　年　了。
Huì yìdiǎnr. Wǒ zài Rìběn zìxué yì nián le.

张婷婷：学了　一　年　汉语　说得　这么　好。进步　真　快。
Xuéle yì nián Hànyǔ shuōde zhème hǎo. Jìnbù zhēn kuài.

山　本：不，不，还　差得　远。　汉语　越　学习　越　难。
Bù, bù, hái chàde yuán. Hànyǔ yuè xuéxí yuè nán.

张婷婷：我　的　日语　一定　不如　你　的　中文。
Wǒ de Rìyǔ yídìng bùrú nǐ de Zhōngwén.

山　本：你　说得　太　快　了，请　慢点儿　说，好　吗？
Nǐ shuōde tài kuài le, qǐng màndiǎnr shuō, hǎo ma?

王　涛：咱们　先　干杯　再　聊　吧。科长，　快　干杯　吧。
Zánmen xiān gānbēi zài liáo ba. Kēzhǎng, kuài gānbēi ba.

科　长：好。为了　欢迎　山本，　干杯！
Hǎo. Wèile huānyíng Shānběn, gānbēi!

大　家：干杯！
Gānbēi!

山　本：唷，这　是　什么　酒？太　烈　了！
Yō, zhè shì shénme jiǔ? Tài liè le!

王　涛：这　是　中国　的　白酒。酒精　五十　度　左右。
Zhè shì Zhōngguó de báijiǔ. Jiǔjīng wǔshí dù zuǒyòu.

介绍 jièshào 紹介する；我来介绍一下 wǒ lái jièshào yíxià ちょっと紹介いたします
位 wèi 人を数える量詞 敬語 技术员 jìshùyuán 技術者 大家 dàjiā みんな
关照 guānzhào 世話をする；请多关照 qǐng duō guānzhào よろしくお願いします
欢迎 huānyíng 歓迎する 没想到 méi xiǎngdào ～とは思わなかった
一点儿 yìdiǎnr 少し 自学 zìxué 自分で学ぶ 这么 zhème こんなに 进步 jìnbù 進歩 一定 yídìng きっと 不如 bùrú ～に及ばない
慢 màn 遅い；请 慢点儿 说 qǐng màndiǎnr shuō もう少しゆっくり言って下さい
聊 liáo 雑談する 为了 wèi le ～のために 干杯 gānbēi 乾杯する 烈 liè お酒が強い
白酒 báijiǔ 中国の蒸留酒 酒精 jiǔjīng アルコール 左右 zuǒyòu ～くらい

【1】様態補語

你说得很快。 あなたはとても速く話します。

还差得远。 まだ大きな差がある。→ まだまだです。

様態補語は動詞を修飾する方法です。動詞＋“得 de”＋～の形を取り、“得”の後ろの語が、動詞を修飾します。

✎練習１ 次の文を読み、日本語に訳してみよう。

① 她说得很快。
② 你来得太晚。
③ 我姐姐穿得很漂亮。
④ 你最近过得怎么样？

穿 chuān 着る 漂亮 piàoliang 美しい
最近 zuìjìn 最近 过 guò 時間がたつ 生活する
怎么样 zěnmeyàng 如何ですか

動詞が目的語を取る場合は、動詞＋目的語＋動詞＋“得 de”＋～の形となります。

她说英语说得很快。 彼女は英語をとても速く話します。

她唱歌唱得很好。 彼女は歌を歌うのがとてもうまい。

唱歌 chànggē 歌を歌う

✎練習２ 次の文を読み、日本語に訳してみよう。

① 你学汉语学得很好。
② 白老师打网球打得很好。
③ 我爱你爱得要命。

网球 wǎngqiú テニス；打网球 dǎ wǎngqiú テニスをする
要命 yàomìng 死ぬほど 命がけで

【2】“越～越～”

汉语越学习越难。　中国語は勉強すればするほど難しくなる。

“越 yuè A越 yuè B”で、「Aであればあるほど、ますますBだ」の意。

越大越好。　大きければ大きいほど良い。

姜越老越辣。　ショウガは古いほど辛い。→亀の甲より年の功

姜 jiāng ショウガ　辣 là 辛い

“越～越～”の文型から派生した語に、“越来越～”があります。「だんだん～になる」、「ますます～になる」という意味です。

天气越来越不好了。　天気はますます悪くなった。

✎練習3　次の文を読み、日本語に訳してみよう。

① 越便宜越好。
② 越考虑越不明白。
③ 我越看越喜欢了。
④ 他身体越来越结实。

考虑 kǎolǜ 考える
喜欢 xǐhuan 好む
身体 shēntǐ 身体　结实 jiēshi 丈夫である

【3】“先～再～”

咱们先干杯再聊吧。　我々はまず乾杯して、それから話をしましょう。

“先 xiān A再 zài B”で、「まずAをしてそれからBをしましょう」の意。“先A，然后 ránhòu B”でも同じ。

先洗手再吃饭。　先に手を洗ってからご飯を食べなさい。

先好好考虑再说话吧。　しっかり考えてから発言しましょう。

洗手 xǐshǒu 手を洗う

✎練習4　次の文を読み、日本語に訳してみよう。

① 我们先商量一下再开始吧。
② 我每天先看报再吃早饭。
③ 你不应该先吃肉再吃蔬菜，应该先吃蔬菜然后吃肉。
④ 我爸爸每晚先洗澡再吃晚饭。

商量 shāngliang 相談する
开始 kāishǐ 開始する
报 bào 新聞　早饭 zǎofàn 朝食
肉 ròu 肉　蔬菜 shūcài 野菜
洗澡 xǐzǎo 入浴する

? 問題 1　次のピンインを漢字に直し、さらに日本語に訳してみよう。

① Tā shuō Hànyǔ shuōde hěn hǎo.

② Wǒ chàng gē chàngde bù hǎo.

③ Zuìjìn wǒ yuèláiyuè pàng le.

④ Zánmen xiān hē yì bēi píjiǔ ba, kāiwèi!

胖 pàng 太っている
开胃 kāiwèi 食欲が出る

? 問題 2　次の語を並べ替えて、文を完成させよう。

① 网球 得 打 打 不 李芳 好。

② 越来越 二十四岁 李芳 了 了 漂亮 今年。

③ 再 睡觉 先 你 应该 刷牙。

④ 昨天 得 去 我 玩儿 前门 有意思 很 了。

睡觉 shuìjiào 寝る　刷牙 shuāyá 歯を磨く
前门 Qiánmén 北京の繁華街
有意思 yǒuyìsi 面白い

? 問題 3　次の日本語を中国語にしよう。

① 彼の英語はどうですか。

② 王建は走るのがとても速い。

③ 昨日は雨がたいへんひどく降りました。

④ マーボー豆腐は、食べれば食べるほど辛くなる。

⑤ まだ時間がある。コーヒーを飲んでから出勤しよう。

走る 跑 pǎo
雨が降る 下雨 xiàyǔ
マーボー豆腐 麻婆豆腐 mápódòufu
コーヒー 咖啡 kāfēi
出勤する 上班 shàngbān

コラム　外国語の固有名詞

本文中に、山本さんが“我叫山本浩二。”と名乗ってから、慌てて“我姓山本。”と付け加える場面があります。これは中国人にとって、日本人の名前はどこまでが姓でどこからが名前か分からないことがあるからです。筆者の氏名も“我叫杉山明 Wǒ jiào Shānshān Míng.”と名乗ると、「杉」が姓で「山明」が下の名前だと誤解されます。

日本人の氏名でもこうなのですから、漢字以外の名前はもっとたいへんです。中国語にはカタカナに当たるものがありませんから、近い音の漢字を並べるのですが、これがなかなか……。

玛丽莲・梦露　Mǎlìlián·Mènglù　マリリン・モンロー
富兰克林・罗斯福　Fùlánkèlín·Luósīfú　フランクリン・ルーズベルト

とまあ、こんな具合です。中国人にとっては、覚えにくいことこの上もありません。そこで本来の音を捨てて、まったく新たに中国名をつける人もいます。

人名だけでなく、地名も同様です。以下にその例を示しますから、どこなのか当ててみて下さい。

① 澳大利亚 Àodàlìyà（国名）　② 波兰 Bōlán（国名）
③ 开罗 Kāiluó（都市名）　④ 菲律宾 Fēilǜbīn（国名）
⑤ 柏林 Bólín（都市名）　⑥ 湄公河 Méigōnghé（川の名）

LESSON 2 食事とカラオケ

王　涛：山本，这家餐厅是很有名的川菜店。
Shānběn, zhè jiā cāntīng shì hěn yǒumíng de Chuāncàidiàn.

又便宜又好吃。你随便点菜。
Yòu piányi yòu hǎochī. Nǐ suíbiàn diǎncài.

菜单你能看懂吗？
Càidān nǐ néng kàndǒng ma?

山　本：我看不懂。还是你们点吧。
Wǒ kànbudǒng. Háishi nǐmen diǎn ba.

张婷婷：好的。一个棒棒鸡、还有回锅肉、海鲜锅巴、麻婆豆腐…
Hǎo de. Yí ge bàngbàngjī、háiyǒu huíguōròu、hǎixiān guōbā、mápódòufu…

王　涛：太多了，吃不了。
Tài duō le, chī buliǎo.

张婷婷：再要两份儿饺子和三瓶啤酒。
Zài yào liǎng fènr jiǎozi hé sān píng píjiǔ.

山本，你能吃辣的吗？这个麻婆豆腐你尝一尝。
Shānběn, nǐ néng chī là de ma? Zhège mápódòufu nǐ chángyicháng.

山　本：我尝尝…哎呀，太辣了，我受不了。
Wǒ chángcháng …āiyā, tài là le, wǒ shòubuliǎo.

给我一杯啤酒！
Gěi wǒ yì bēi píjiǔ!

王　涛：哈哈，辣点儿好，开胃！
Hāha, làdiǎnr hǎo, kāiwèi!

张婷婷：对了，吃完后唱卡拉OK去吧。你会唱歌吗？
Duì le, chīwán hòu chàng kǎlā'OK qù ba. Nǐ huì chànggē ma?

山　本：会是会…，但是唱得不太好…。
Huì shì huì…, dànshì chàngde bútài hǎo….

张婷婷：没关系。你快点儿吃。咱们快走吧！
Méiguānxi. Nǐ kuàidiǎnr chī. Zánmen kuài zǒu ba!

山　本：我已经吃饱了，吃不下了。
Wǒ yǐjing chībǎole, chībuxià le.

家 jiā 店を数える量詞 軒　餐厅 cāntīng レストラン　川菜 Chuāncài 四川料理　随便 suíbiàn 自由に
又 yòu A 又 yòu B　AでありまたBでもある　点菜 diǎncài 料理を注文する　菜单 càidān メニュー
懂 dǒng 分かる　份儿 fènr ～人前　棒棒鸡 bàngbàngjī バンバンジー　回锅肉 huíguōròu ホイコーロ
海鲜锅巴 hǎixiān guōbā 海鮮おこげ　尝 cháng 味わう　尝尝 chángcháng 食べてみる
哎呀 āiyā 驚きの感嘆詞　哈哈 hāhā 笑い声　对了 duìle そうだ 良い考えが浮かんだ時の感嘆詞
卡拉 OK kǎlā'OK カラオケ　走 zǒu 行く　咱们 zánmen（相手もふくめて）我々

【1】結果補語

菜单你能看懂吗？ メニューは、あなた見て分かりますか。
吃完后唱卡拉 OK 去吧。 食べ終わったらカラオケをしに行こう。
我已经吃饱了。 私はもうおなかいっぱいです。

動詞の後についてその動作の結果を示す語を、結果補語と言います。上の文はそれぞれ、以下の通りです。

"看"した結果、"懂"（分かる）→ 見て分かる
"吃"した結果、"完"（終わる）→ 食べ終わる
"吃"した結果、"饱"（満腹である）→ おなかいっぱいになる

《主な結果補語》

看完（見終わる）　说完（言い終わる）　写完（書き終わる）
做完（し終わる）　看懂（見て分かる）　听懂（聞いて分かる）
看见（見える）　听见（聞こえる）　写好（うまく書く）
学好（ちゃんと学ぶ）　记住（覚え定着する）　买到（買って手に入れる）
找到（探し当たる）

《否定の形》"没"＋動詞＋補語

没看完（見終わらない）　没听见（聞こえない）　没找到（探し当たらない）

練習 1　次の文を読み、日本語に訳してみよう。

① 我今天没看见他。
② 你买到中国的手机了吗？
③ 早饭吃好，午饭吃饱，晚饭吃少。

午饭 wǔfàn 昼食

【2】可能補語

太多了，吃不了。　多すぎる、食べきれないぞ。

太辣了，我受不了。　辛いなあ、耐えられないよ。

我已经吃饱了，吃不下了。　私はもうおなかいっぱいです、食べられません。

結果補語の動詞と補語の間に“得 de”が入ると可能を、“不 bu”が入ると不可能を表します。これを可能補語と言います。

《主な可能補語》

做不完（し終われない）　做得完（し終われる）　看不懂（見て分からない）

写得好（うまく書ける）　记不住（覚えられない）　来得及（間に合う）

买不起（値段が高くて買えない）　买不到（物がなくて買えない）

練習２　次の文を読み、日本語に訳してみよう。

① 他的中文我听不懂。

② 这么多的生词，我记得住吗？

③ 日本的电视机很贵，买得起吗？

生词 shēngcí 新出単語
电视机 diànshìjī テレビ

【3】“一点儿”

辣点儿好，开胃！　少し辛い方がいいよ、食欲が出る！

你快点儿吃。　もっと速く食べてよ。

“一点儿”は「少し」「ちょっと」という意味ですが、形容詞＋“(一) 点儿”で、「少し～だ、もっと～に」という意味になります。

大家在看书，你们安静点儿吧。　みんな本を読んでる、ちょっと静かにしましょう。

你不要客气，多吃一点儿。　遠慮しないで、もう少し食べて。

安静 ānjìng 静か
客气 kèqi 遠慮する

【4】“A是A”の構文

“会是会”「～できることは、できるが～」“A是A”の形で、「Aではあるけれど～」という意味を表します。

他瘦是瘦，但是身体很健康。　彼はやせてはいるが、たいへん健康だ。

这个词典好是好，可是太贵。　この辞書は良いことは良いが、高い。

? 問題 1　次のピンインを漢字に直し、さらに日本語に訳そう。

① Nǐ shuōde hěn kuài,wǒ tīngbudǒng.

② Zhèr yǒu cāntīng ma? —— Yǒu shì yǒu,dànshì bù hǎochī.

③ Qǐng màndiǎnr shuō.

④ Nǐ chībǎo le ma? Búyào kèqì.

? 問題 2　日本語を参考にして、次の語を並べ替えて、文を完成しよう。

① 网球 不好 会 会 会 但是 是 吗 打 打 你 得 ？ ，。
あなたはテニスができますか。——できるのはできるが下手です。

② 已经 了 看完 小说 那本 吗 ？　あの小説はもう読み終えたかい ？

③ 饺子 吃得了 多 的 你 这么 吗 ，？
こんなにたくさんのギョウザ、あなた食べきれますか ？

④ 九点 了 快点儿 咱们 已经 走 ，。　もう9時だ、早く行こう。

⑤ 是 他 看不懂 英国人 汉字 ，。　彼はイギリス人です、漢字は読めません。

⑥ 你 早点儿 起床 睡觉 明天 吧 六点 ，。
あなたは明日は6時起床です。早く寝ましょう。

小说 xiǎoshuō
起床 qǐchuáng

コラム　中華料理いろいろ

【主菜類】

青椒肉丝 qīngjiāoròusī　チンジャオロース
宫保鸡丁 gōngbǎojīdīng　鶏肉の唐辛子炒め
糖醋鱼 tángcùyú　揚げ魚の甘酢あんかけ
古老肉 gǔlǎoròu　スブタ
大闸蟹 dàzháxiè　上海ガニ
涮羊肉 shuànyángròu　羊のしゃぶしゃぶ

【野菜類】

白菜 báicài　白菜
萝卜 luóbo　大根
豆芽 dòuyá　もやし
菠菜 bōcài　ほうれん草
芹菜 qíncài　セロリ
大葱 dàcōng　ネギ
黄瓜 huángguā　キュウリ
四季豆 sìjìdòu　インゲン豆
胡萝卜 húluóbo　ニンジン

【主食類】

大米饭 dàmǐfàn　ごはん
饺子 jiǎozi　ギョウザ
面包 miànbāo　パン
肉包子 ròubāozi　肉まん
炒饭 chǎofàn　チャーハン
烧卖 shāomài　シュウマイ

【スープ類】

三鲜汤 sānxiāntāng　ミックススープ
玉米汤 yùmǐtāng　コーンスープ

【飲み物】

咖啡 kāfēi　コーヒー
黄酒 huángjiǔ　紹興酒
白酒 báijiǔ　蒸留酒
啤酒 píjiǔ　ビール
红酒 hóngjiǔ　赤ワイン
矿泉水 kuàngquánshuǐ　ミネラルウォーター

LESSON 3 買い物

售货员： 先生， 你 想 买 什么？
Xiānsheng, nǐ xiǎng mǎi shénme?

山 本：喝 啤酒 就 的 零食。比方 说， 花生米、 火腿、
Hē píjiǔ jiù de língshí. Bǐfang shuō, huāshēngmǐ、 huǒtuǐ、

干酪 什么 的。
gānlào shénme de.

售货员： 牛肉干 怎么样？ 和 啤酒 很 合适。你 尝尝。
Niúròugān zěnmeyàng? Hé píjiǔ hěn héshì. Nǐ chángcháng.

山 本：嗯，很 好吃。一 斤 多少 钱？
Ng, hěn hǎochī. Yì jīn duōshao qián?

售货员：八十八 块。你 要 多少？
Bāshíbā kuài. Nǐ yào duōshǎo?

山 本：我 买 四 两。 请问， 这 "买 一 送 一" 是 什么 意思？
Wǒ mǎi sì liǎng. Qǐngwèn, zhè "mǎi yí sòng yī" shì shénme yìsi?

售货员：这 是 卖 啤酒 的 办法。如果 你 买 一 瓶 的 话，
Zhè shì mài píjiǔ de bànfǎ. Rúguǒ nǐ mǎi yì píng de huà,

我们 就 再 送 你 一 瓶 的 意思。
wǒmen jiù zài sòng nǐ yì píng de yìsi.

山 本： 真 的 吗？ 那，我 买 三 瓶。 一共 多少 钱？
Zhēn de ma? Nà, wǒ mǎi sān píng. Yígòng duōshao qián?

售货员：四十五 块 二。有 没 有 两 毛 钱？
Sìshíwǔ kuài èr. Yǒu méi yǒu liǎng máo qián?

山 本：对不起，我 没 有 零钱。
Duìbuqǐ, wǒ méi yǒu língqián.

售货员：没关系。 找 您 四块 八。谢谢…啊， 先生， 把 你 买 的
Méiguānxi. Zhǎo nín sìkuài bā. Xièxie…a, xiānsheng, bǎ nǐ mǎi de

牛肉干 拿走 吧！
niúròugān názǒu ba!

山 本：哎呀，我 差点儿 忘 了，谢谢！
Āiyā, wǒ chàdiǎnr wàng le, xièxie!

售货员 shòuhuòyuán 店員　比方说 bǐfang shuō 例えば　就 jiù（〜をおかずに）酒を飲む、ごはんを食べる
零食 língshí 軽食 おやつ　花生米 huāshēngmǐ ピーナツ　火腿 huǒtuǐ ハム　干酪 gānlào チーズ
牛肉干 niúròugān ビーフジャーキー　合适 héshì ぴったりだ　两 liǎng 50g 十分の一斤
意思 yìsi 意味　毛 máo 十分の一元“角”　零钱 língqián 小銭　找 zhǎo おつりを出す
拿走 názǒu 持つ 持って行く

【1】“A、B、C什么的”

花生米、火腿、干酪什么的。　ピーナツ、ハム、チーズなど。

“A、B、C什么的”は例示を表します。「A、B、Cなど」。

路上很热闹，小摊儿上卖热狗、薯条、还有炸鸡肉什么的。
通りはとても賑やかで、屋台ではホットドッグ、ポテトフライ、それにフライドチキン等を売っている。
她很喜欢看足球、篮球什么的。　彼女はサッカー、バスケットボール等を見るのが好きだ。
唱歌、弹吉他什么的，我都喜欢。　歌を歌ったりギターを弾いたり、私は皆好きだ。

热闹 rènao 賑やか　小摊儿 xiǎotānr 屋台　热狗 règǒu ホットドッグ　薯条 shǔtiáo ポテトフライ
炸鸡肉 zhájīròu フライドチキン　足球 zúqiú サッカー　篮球 lánqiú バスケットボール
吉他 jítā ギター　弹吉他 tán jítā ギターを弾く

【2】仮定表現

如果你买一瓶的话，我们就再送你一瓶。
もしあなたが1本買ったら、もう1本差し上げます。

“如果 rúguǒ 〜的话 de huà，就 jiù~”で仮定条件「もし〜なら」を表します。
“如果”だけでも、“的话”だけでも仮定文が成立します。“就”の省略も可能です。“要是 yàoshi 〜的话，就”でも、“假使 jiǎshǐ 〜的话，就”でも同じです。

如果下雨的话，我们就不去长城。　もし雨が降ったら、私たちは万里の長城には行かない。
要是不想参加，你可以不参加。　もし参加したくないなら、行かなくても良いよ。
有困难的话，你就给我打电话。　困ったことがあったら、すぐに私に電話しなさい。

长城 Chángchéng 万里の長城　困难 kùnnán 困難　打电话 dǎ diànhuà 電話する

【3】“把”構文

把你买的牛肉干拿走吧。　あなたが買ったビーフジャーキーを持って行って下さい。

介詞“把 bǎ”を使い、目的語を述語動詞の前に移動させることができます。その場合、述語動詞が単独ではダメで、必ず後続成分が必要、つまり補語を伴っていなければなりません。

小李写完作业了。 → 小李把作业写完了。 李さんは宿題をやり終えた。
我忘记了她的电话号码。 → 我把她的电话号码忘记了。
私は彼女の電話番号を忘れてしまった。
他拿走了我的威士忌。 → 他把我的威士忌拿走了。 威士忌 wēishìjì ウィスキー
彼が私のウィスキーを持って行ってしまった。
她买了两本书。 → × 她把两本书买了。

“把”構文は、主体の意図や状態、あるいは目的語を強調する語感があります。“我忘记了她的电话号码。”は、単に彼女の電話番号を忘れたという事実を述べてますが、“我把她的电话号码忘记了。”の方は、「私は（何と！）彼女の電話番号を忘れてしまった」という感じです。

【4】“差点儿”

我差点儿忘了。 あやうく忘れるところだった。

“差点儿 chàdiǎnr”は、何らかの状態があと少しで実現する、あるいはしないことを表します。「もう少しで～」「あやうく～」。

我差点儿误车了。 もう少しで乗り遅れるところだった。 误车 wùchē 乗り遅れる
我来得晚，差点儿没看到她。 来るのが遅くて、あやうく彼女に会えないところだった。

望ましい事態が実現しなかったことを惜しむ場合には、動詞肯定形の前に“就 jiù”を置くことが多いようです。

差点儿就赶上了。 もう少しで間に合ったのに。
她本来学得很好，大学差点儿就考上了。
彼女は元々勉強がよくできる、大学だってもう少しで受かったんだ。

赶上 gǎnshàng 間に合う
本来 běnlái 元々 元来　考上 kǎoshàng 合格する

? 問題 1　次のピンインを漢字に直し、さらに日本語に訳そう。

① Rúguǒ nǐ xǐhuan de huà, nǐ kěyǐ názǒu ba.
② Wǒ chàdiǎnr wàng le, míngtiān shì wǒ àirén de shēngrì.
③ Bǎ nǐ de kāfēi fàngzài zhèr.
④ Bōcài、luóbo、wǎndòu shénmede, nǐ yīnggāi chī shūcài.

放在 fàngzài ～に置く
豌豆 wǎndòu エンドウ豆
蔬菜 shūcài 野菜

問題2　次の日本語を中国語にしよう。

① テニス、バスケット、サッカー等々、黄さんはみんなできます。
② もし明日来られないなら、李課長に言いなさい。
③ もう少しで忘れるところだった。今日は7時に家に帰るんだ。
④ 君は彼女の電話番号を覚えたかい。
⑤ 許さんは財布を椅子の上に置きました。

課長 科长 kēzhǎng
言う 告げる 告诉 gàosu
覚える 记住 jìzhù
許 许 Xǔ（人名）
財布 钱包 qiánbāo
椅子 椅子 yǐzi

コラム　“不”と“没有”

否定文を作るには、“不 bù”または“没（有）méi (you)”を用いるのは誰でも知っていることです。しかし“不”と“没（有）”の使い分けは厳密に区別しなくてはなりません。

大原則は、未然（まだ実現していないこと）は“不”で、已然（もう実現したこと）は“没（有）”で打ち消すのですが、分かりにくければ、一般的には“不”で、特殊な場合は“没（有）”で打ち消すと覚えるのも方法です。“没（有）”を用いる場合を以下に整理しておきましょう。

▶ “有”の打ち消し（入門編 第1課）

我们公司有两个日本人。→ 我们公司没有日本人。　わが社に日本人はいない。

▶ 完了文（入門編 第8課）

她昨天来我家了。→ 她昨天没有来我家。　彼女は昨日私の家に来なかった。
张主任已经吃午饭了。→ 张主任还没吃午饭。　張主任はまだ昼食を食べていない。

▶ 経験文（入門編 第10課）

申小姐去过北京分公司。→ 申小姐没有去过北京分公司。
申さんは北京支社には行ったことがない。

▶ 比較文（入門編 第11課）

上海的地价比北京的地价贵。→ 北京的地价没有上海的地价贵。
北京の地価は上海の地価ほど高くない。

派生的な用法として、“没有”＋“那么”＋形容詞＝それほど〜でない、があります。

这个问题没那么简单。　この問題はそんなに簡単じゃない。

分公司 fēngōngsī 支社　申 Shēn 人名
地价 dìjià 地価
简单 jiǎndān 簡単だ

LESSON 4 タクシー

山本：师傅，请 把 后车厢 打开。我 的 东西 很 多。
Shīfu, qǐng bǎ hòuchēxiāng dǎkāi. Wǒ de dōngxi hěn duō.

司机：好，你 去 哪儿？
Hǎo, nǐ qù nǎr?

山本：新华 宾馆，人民 南路 180 号。
Xīnhuá bīnguǎn, Rénmín nánlù yìbǎi bāshí hào.

司机：知道 了，你 是 日本人 还是 韩国人？
Zhīdao le, nǐ shì Rìběnrén háishi Hánguórén?

山本：是 日本人。…哟，红灯！ 别 进去！
Shì Rìběnrén. …Yō, hóngdēng! Bié jìnqu!

司机：不要 担心，在 中国 没 问题。不管 信号灯 什么 颜色，
Búyào dānxīn, zài Zhōngguó méi wèntí. Bùguǎn xìnhàodēng shénme yánsè,

都 可以 往 右 拐。
dōu kěyǐ wǎng yòu guǎi.

山本：真 的 吗？我 觉得 中国 的 交通 规则 很 复杂。
Zhēn de ma? Wǒ juéde Zhōngguó de jiāotōng guīzé hěn fùzá.

司机：跟 日本 不 一样 吗？
Gēn Rìběn bù yíyàng ma?

山本：不 一样。比方 说，在 日本 靠 左边 行驶。啊，过了
Bù yíyàng. Bǐfāng shuō, zài Rìběn kào zuǒbian xíngshǐ. Ā, guòle

这 十字 路口 往 前 走。
zhè shízì lùkǒu wǎng qián zǒu.

司机：好，…新华 宾馆 到 了。二十八 块 五。
Hǎo, …Xīnhuá bīnguǎn dào le. Èrshíbā kuài wǔ.

山本：谢谢，给 我 发票。
Xièxie, gěi wǒ fāpiào.

司机：找 您 一 块 五。稍等 一下，我 帮 你 把 你 的 东西
Zhǎo nín yí kuài wǔ. Shāoděng yíxià, wǒ bāng nǐ bǎ nǐ de dōngxi

拿 出来。
ná chūlái.

师傅 shīfu 技術職に対する尊称　后车厢 hòuchēxiāng 後ろのトランク　打开 dǎkāi 開ける 開く
东西 dōngxi もの ここでは荷物　司机 sījī 運転手　宾馆 bīnguǎn ホテル　知道 zhīdao 知る 知っている
红灯 hóngdēng 赤信号　担心 dānxīn 心配である　信号灯 xìnhàodēng 信号　红绿灯 hónglǜdēng とも
往 wǎng ～へ　拐 guǎi まがる　规则 guīzé 規則　不一样 bù yíyàng 同じでない
靠 kào もたれかかる　寄る 行驶 xíngshǐ（車が）走る　十字路口 shízì lùkǒu 十字路 交差点
发票 fāpiào 領収書（を出す）　帮 bāng 助ける 手伝う　稍等一下 shāoděng yíxià しばらくお待ち下さい

【1】方向補語

别进去！　入って行っちゃいけない！

我帮你把你的东西拿出来。　私があなたの荷物を取り出します。

方向性を持つ動詞に“去 qù”，“来 lái”がついて、話し手からの方位感を表します。これを方向補語と言います。この場合は、“去”も“来”も軽声で発音されます。

出来	chūlai	出て来る	出去	chūqu	出て行く
回来	huílai	帰って来る	回去	huíqu	帰って行く
进来	jìnlai	入って来る	进去	jìnqu	入って行く
带来	dàilai	持って来る	带去	dàiqu	持って行く

带 dài 付随する

方向補語には、“上 shàng”、“下 xià”、“进 jìn”、“出 chū”、“回 huí”、“过 guò”、“起 qǐ”にさらに“去 qù”、“来 lái”がついた、複雑方向補語と言われるものがあります。例を見てみましょう。日本語への訳し方にも注意して下さい。

拿出来	náchūlai	取り出す	走出去	zǒuchūqu	歩いて出て行く
买回来	mǎihuílai	買って帰る	带回去	dàihuíqu	持ち帰って行く
飞过来	fēiguòlai	飛んで来る	爬上去	páshàngqu	這い上がる
跑进来	pǎojìnlai	走り込んで来る	站起来	zhànqǐlai	立ち上がる

目的語を取る場合は動詞と方向補語の間でも方向補語の後でも構いません。しかし複雑補語ならば、“去 qù”、“来 lái”の前に目的語を置くのがよいでしょう。

带来钱包。＝ 带钱包来。　財布を持って来る。

买回来一瓶红酒。＝ 买回一瓶红酒来。　赤ワインを１本買って帰る。

从口袋拿出一张照片来。　ポケットから写真を１枚取り出す。

口袋 kǒudài ポケット
照片 zhàopiàn 写真

目的語が場所目的語の場合は、注意が必要です。その場合は必ず動詞と方向補語の間に置かねばなりません。

回北京来　北京に帰って来る　　× 回来北京

【2】禁止文

别进去！　入って行っちゃいけない！
不要担心，…　心配しないで、…

“要 yào” の打ち消し “不要 búyào ～” が禁止、すなわち「～するな、してはいけない」を表すことはすでに学習しました。(入門編・第6課)。“别 bié ～” も同じです。“别 bié” は、実は “不要 búyào” がなまったものですから、意味も用法も同じなのです。

别大声吵闹。　大声で騒ぐな。
你的胃很不好，不要再喝酒了。　胃がかなり悪い、もう酒を飲んではいけない。
你不要生气，听我说的。　怒らないで、私の言うことを聞きなさい。
你别客气，快坐下。　君、遠慮しないで、早くお座りなさい。

吵闹 chǎonào 騒ぐ　生气 shēngqì 怒る

【3】“不管～”

不管信号什么颜色，都可以往右拐。　信号が何色であろうと、右へ曲がってよい。

“不管 bùguǎn ～” で、「～にかかわらず、いずれにせよ」の意。二者択一または選択を求める語の前に置き、いかなる選択でも結論が同じであることを表します。“不论 búlùn ～”、“无论 wúlùn ～” でも同じです。

不管你去不去，我一定去。　君が行こうが行くまいが、私は必ず行く。
不论谁说，我都不相信。　誰が言おうが、私は信じはしない。
无论是日本人还是中国人，都要排队。　日本人でも中国人でも、並ばなくてはならない。

排队 páiduì 並ぶ

“不管” 等で導かれる文を後に置くこともできます。

足球比赛后天举行，不管天气怎么样。
サッカーの試合は明後日実施します、天候にかかわらず。

比赛 bǐsài 試合
举行 jǔxíng 挙行する 行う

【4】"觉得"

我觉得中国的交通规则很复杂。 私は中国の交通規則はとても複雑だと思う。

交通 jiāotōng 交通

"觉得 juéde"「～と思う、感じる」

我觉得日本的啤酒有点儿甜。 私は日本のビールは少し甘いと思う。

你觉得中国的大气污染不能改善吗？ 君は中国の大気汚染は改善できないと思うのかい？

有点儿 yǒudiǎnr 少し 少々 望ましくないことに言うことが多い 甜 tián 甘い
大气污染 dàqì wūrǎn 大気汚染 改善 gǎishàn 改善する

? 問題1 次のピンインを漢字に直し、さらに日本語に訳そう。

① Wǒ júede Rìběn de mápódòufu tài tián.

② Bùguǎn jīnglǐ zěnme shuō, wǒ míngtiān bú shàngbān.

③ Nǐ kuàidiǎnr dài yuánzhūbǐ lái.

④ Nǐmen búyào jǐnzhāng, qǐng suíbiàn.

经理 jīnglǐ 社長 圆珠笔 yuánzhūbǐ ボールペン
紧张 jǐnzhāng 緊張する 随便 suíbiàn 自由に、勝手に

? 問題2 次の日本語を中国語にしよう。

① 君にこの本をあげる、持って帰りなさい。

② あなたは小学生です。一人で行ってはいけません。

③ 私はこのチンジャオロースは塩辛すぎると思う。

④ 男でも女でも、みんな参加できます。

⑤ １匹の犬が庭に走り込んで来た。

小学生 小学生 xiǎoxuéshēng 塩辛い 咸 xián 庭 院子 yuànzi
１匹の犬 一只狗 yì zhī gǒu 走り込んで来る 跑进来 pǎojìnlai

コラム 中国の交通ルール

課文の中で、中国では前の信号が赤でも右折ができる、というエピソードが出てきますが、これは本当の話です。あわせて、人も車も自転車もすべて右側通行だということも理解しておきましょう。つまりバスやタクシーを待つ場所が日本と逆で、後ろから自転車やバイクが歩行者を追い抜いて行くということです。

また、歩行者優先ということは期待できません。横断歩道を渡っていても、車が停まってくれることはまずありません。十分注意しましょう。

LESSON 5 携帯電話

张婷婷：山本　先生，你　买　智能　手机　了。是　中国　的，
Shānběn xiānsheng, nǐ mǎi zhìnéng shǒujī le. Shì Zhōngguó de,

还是　日本　的？
háishi Rìběn de?

山　本：中国　的。用　这个　月　的　工资　才　买到　了。
Zhōngguó de. Yòng zhège yuè de gōngzī cái mǎidào le.

张婷婷：带　多少　话费？
Dài duōshao huàfèi?

山　本：不太　清楚。　话费　怎么　支付　啊？我　没　有　中国　的
Bútài qīngchu. Huàfèi zěnme zhīfù a? Wǒ méi yǒu Zhōngguó de

银行　户头　啊。
yínháng hùtóu a.

张婷婷：你　买　的　时候　就　有　啊。用完了　再　买　电话卡　充值
Nǐ mǎi de shíhou jiù yǒu a. Yòngwánle zài mǎi diànhuàkǎ chōngzhí

就　行　了。
jiù xíng le.

山　本：是　这样。　话费　用　多久　用完　啊？
Shì zhèyàng. Huàfèi yòng duōjiǔ yòngwán a?

张婷婷：一　个　月　充　一百　块　应该　没　问题。
Yí ge yuè chōng yìbǎi kuài yīnggāi méi wèntí.

你　告诉　我　你　的　电话　号码　吧。我　试试　打。
Nǐ gàosu wǒ nǐ de diànhuà hàomǎ ba. Wǒ shìshi dǎ.

山　本：啊，来了　来　了。喂…，能　听到　能　听到。　智能　手机
Ā, láile lái le. Wéi…, néng tīngdào néng tīngdào. Zhìnéng shǒujī

不只　画面　大，也　漂亮　啊。
bùzhǐ huàmiàn dà, yě piàoliang a.

张婷婷：电气　的　消费　也　大。每天　别　忘了　充电　啊。
Diànqì de xiāofèi yě dà. Měitiān bié wàngle chōngdiàn a.

山　本：我　再　发个　短信　试试。
Wǒ zài fāge duǎnxìn shìshi.

智能手机 zhìnéng shǒujī スマートフォン　工资 gōngzī 給料　话费 huàfèi 通話料　费 fèi 費用
支付 zhīfù 支払う　户头 hùtóu 口座　卡 kǎ カード　充值 chōngzhí 入金する
行 xíng 行ける 大丈夫　号码 hàomǎ 番号　试试 shìshi ～してみる　画面 huàmiàn 画面
电气 diànqì 電気　充电 chōngdiàn 充電する　短信 duǎnxìn ショートメッセージ
发短信 fā duǎnxìn ショートメッセージを出す　试试 shìshi やっててみる

【1】“才 cái” の用法

用这个月的工资才买了。　今月の給料でやっと買ったんだ。

“才 cái” は、「やっと、ようやく」という感じの副詞です。

①「～してはじめて やっと ようやく」

听到老师的说明才明白了。　先生の説明を聞いてやっと分かりました。
过了两个星期，她才给我打电话了。　２週間たって彼女はやっと電話をくれた。

②「わずかに ほんの」

他才九岁，不能一个人走。　彼はまだ９歳だ、一人で行かせることはできない。
钱包里才五块，晚饭吃什么呢？ 財布の中にはたったの５元、夕飯は何を食べようか ？

③「たった今 ～したばかり 先ほど」“刚才 gāngcái” の形でも

他才上车，手机就响了。　彼が車に乗ったとたん携帯電話が鳴った。
刚才的话，就是开玩笑吧？ さっきの話、冗談だよね ？

开玩笑 kāi wánxiào 冗談を言う　响 xiǎng 鳴る

【2】“是～还是～”

是中国的还是日本的？ 中国のですか、それとも日本のですか ？

“是 shì ～还是 háishi ～” は、選択を表します。「～ですか、それとも～ですか」という、二者択一の形です。“是 shì” を省略することもできます。

你是喝红茶还是喝咖啡？ あなたは紅茶を飲みますか、それともコーヒーを飲みますか ？
你去北京还是她来上海？ 君が北京へ行くのか、それとも彼女が上海へ来るのか ？

【3】語気助詞“啊 a”の用法

话费怎么支付啊？　通話料はどうやって支払うのかなあ？
我没有中国的银行户头啊。　私は中国の銀行口座は持ってないよ。
你买的时候就有啊。　あなたが買ったときにもう入ってるのよ。
话费用多久用完啊？　通話料はどれくらい使ったらなくなるのかなあ？
每天别忘了充电啊。　毎日充電を忘れないでよ。

語気助詞は文末について、話し手の気持ちや語感を付加するものです（入門編・第９課)。“啊 a”には次のような意味があります。

① 感嘆を表す「～だなあ」

这个麻婆豆腐真好吃啊！　このマーボー豆腐は本当おいしいなあ！

② 軽い疑問を表す「～なの？　～かなあ？」

你什么时候去啊？　君はいつ行くの？

③ 催促、命令を表す「～してよ」

明天一定八点半来啊。　明日は必ず８時半に来なさいよ。

語気助詞は“啊 a”だけでなく、他にもいろいろあります。次の語気助詞にはどのような気持ち、語感があるのか、辞書を引いて調べてみましょう。

① 嘛 ma　② 呀 ya　③ 喽 lou　④ 啦 la

【4】“不只～也～”

智能手机不只画面大，也漂亮啊。　スマートフォンは画面が大きいだけでなく、きれいだなあ。

“不只 bùzhǐ ～，也 yě ～”または“不只 bùzhǐ ～，而且 érqiě ～”で、「～なだけでなく、～でもある」という意味を表します。

语气助词不只有“啊”，“嘛”、“呀”、“喽”等等也有。
語気助詞は“啊”だけでなく、“嘛”、“呀”、“喽”等もある。
他的意见不只我同意，黄主任也同意。　彼の意見には私だけでなく、黄主任も賛成している。
日本的小汽车不只设计好看，而且性能很高。
日本の車はデザインが良いだけでなく、性能も高い。

等等 děngděng など 等　语气助词 yǔqì zhùcí 語気助詞　小汽车 xiǎoqìchē 乗用車　设计 shèjì デザイン
好看 hǎokàn 見た目が良い　而且 érqiě さらにその上　性能 xìngnéng 性能

【5】電話関連用語

本文に出てこなかった電話関連用語を覚えましょう。

□接电话　jiē diànhuà　電話を受ける
□挂电话　guà diànhuà　電話を切る
□拨电话号码　bō diànhuà hàomǎ　ダイヤルを回す
□按电话号码　àn diànhuà hàomǎ　ダイヤルを押す
□发短信　fā duǎnxìn　ショートメールを出す／收短信　shōu duǎnxìn　ショートメールを受ける
□微信　wēixìn　ウイーチャット　中国版 LINE ／参加微信　cānjiā wēixìn　LINE に参加する
□占线　zhànxiàn　話し中
□关机　guānjī　電源が切ってある
□信号不好　xìnhào bùhǎo　電波状況が悪い

? 問題１　次のピンインを漢字に直し、さらに日本語に訳そう。

① Nǐmen gōngsī de jīnglǐ shì Rìběnrén háishi Zhōngguórén?
② Xīn de bīngxiāng bùzhǐ shèjì hǎokàn, yě shěngdiàn.
③ Nǐmen dōu cānjiā wēixìn ma?
④ Jīntiān de kǎoshì zhēn nán a!
⑤ Wǒ érzi sānshíwǔ suì cái jiéhūn le.

冰箱 bīngxiāng 冷蔵庫
省电 shěngdiàn 省電力
考试 kǎoshì 試験　难 nán 難しい
儿子 érzi 息子　结婚 jiéhūn 結婚（する）

? 問題２　次の日本語を中国語にしよう。

① 豆腐はおいしいだけでなく、身体にも良い。
② 申主任の子どもさんは男の子ですか、それとも女の子ですか？
③ 彼は午後１時になってやっと起きた。
④ 昨日はどうして出勤しなかったんだい？
⑤ 話し中です。夕方また電話しましょう。

身体に良い 对身体好 duì shēntǐ hǎo　子ども 孩子 háizi
男の子 男孩 nánhái　女の子 女孩儿 nǚháir　また 再 zài

? 問題３　日本語を参考にして空欄を埋めよう。

①（　）电话：電話を受ける　②（　）电话号码：ダイヤルを回す
③（　）电话：電話をかける　④（　）短信：ショートメールを出す
⑤（　）电话：電話を切る　⑥（　）LINE：LINE に入る

LESSON 6 パソコン

王涛：哟，你　又　买了　新　的　笔记本　电脑！操作　系统　是
Yō, nǐ yòu mǎile xīn de bǐjìběn diànnǎo! Cāozuò xìtǒng shì

LINUX 吗？
LINUX ma?

山本：不，就是　微软　的　视窗。　因为　我　在　日本　用　的　是
Bù, jiùshì Wēiruǎn de Shìchuāng. Yīnwèi wǒ zài Rìběn yòng de shì

视窗。　还是　习惯了　的　最好。
Shìchuāng. Háishi xíguànle de zuìhǎo.

王涛：你　说得　对。
Nǐ shuōde duì.

山本：因为　CPU　很　快，而且　存储器　有　8　G，所以　因特网　的
Yīnwèi CPU hěn kuài, érqiě cúnchǔqì yǒu bā G, suǒyǐ yīntèwǎng de

速度　也　非常　快。
sùdù yě fēicháng kuài.

王涛：硬件　性能　很　高。　软件　有　什么？
Yìngjiàn xìngnéng hěn gāo. Ruǎnjiàn yǒu shénme?

山本：有　OFFICE　和　VISUALSTUDIO.　还　安装了　几个
Yǒu OFFICE hé VISUALSTUDIO. Hái ānzhuāngle jǐge

免费　软件。
miǎnfèi ruǎnjiàn.

王涛：这个　鼠标　好像　是　无线　的　吧。键盘　也　用得　很
Zhège shǔbiāo hǎoxiàng shì wúxiàn de ba. Jiànpán yě yòngde hěn

舒服。哎呀，我　很　羡慕。也　想　买　一　台。
shūfu. Āiyā, wǒ hěn xiànmù. Yě xiǎng mǎi yì tái.

山本：就　这样。　我　用　这　台　电脑　写　程序。
Jiù zhèyàng. Wǒ yòng zhè tái diànnǎo xiě chéngxù.

王涛：也　上网　玩儿，对　不对？
Yě shàngwǎng wánr, duì buduì?

山本：哈哈…。
Haha….

又 yòu また　笔记本电脑 bǐjìběn diànnǎo ノートパソコン　操作系统 cāozuò xìtǒng OS　微软 Wēiruǎn マイクロソフト
视窗 Shìchuāng ウィンドウズ　习惯 xíguàn 慣れる　存储器 cúnchǔqì メモリー　因特网 yīntèwǎng インターネット
硬件 yìngjiàn ハードウェア　安装 ānzhuāng インストールする　免费 miǎnfèi 無料　软件 ruǎnjiàn ソフトウェア
鼠标 shǔbiāo マウス　好像 hǎoxiàng どうやら～のようだ　无线 wúxiàn 無線　键盘 jiànpán キーボード
羡慕 xiànmù うらやましい　就这样 jiù zhèyàng この様である その通り　台 tái パソコンの量詞 台
程序 chéngxù プログラム　上网 shàngwǎng ネットに接続する

【1】アルファベット語

□LINUX　リナックス　　□CPU　シーピーユー
□GB　ギガビット ジービー　　□OFFICE　オフィス
□VISUALSTUDIO　ビジュアルスタジオ

アルファベットの読み方は、原則として日本語と同じです。則ち、A、B、C…は日本語と同じく、エー、ビー、シー…と読み、単語ならそのまま英語読みすればよいのです。

□T恤　T xù：Tシャツ　　□DNA　DNA
□X线　X xiàn：X線　　□A４纸　A sìzhǐ：A４サイズの紙

もちろん訳語がある場合は、訳語を使用します。

□公斤　gōngjīn：キログラム（kg）
□传真　chuánzhēn：ファクシミリ（FAX）
□基督教青年会　Jīdūjiào qīngniánhuì：YMCA
□北大西洋公约组织　Běi dàxīyáng gòngyuē zǔzhī
：NATO 北大西洋条約機構（略して“北约 Běiyuē”と言う）

【2】“因为～所以～”

因为CPU很快，而且存储器8G，所以因特网的速度也非常快。
CPUが速くてメモリーも８ギガだから、インターネットもとても速い。

“因为 yīnwèi ～，所以 suǒyǐ ～”は因果関係を表します。“因为”で導かれるのが原因、“所以”で導かれるのが結果です。

因为我发烧了，所以没上班。　熱が出たので、私は出勤しなかった。
因为她天天努力学习，所以考上了北京大学。
彼女は毎日一生懸命勉強している、だから北京大学に合格したのだ。

发烧 fāshāo 熱が出る
天天 tiāntiān 毎日　考上 kǎoshang 合格する

“因为”、“所以” は単独で用いることもできます。

他英语说得很好，因为他妈妈是美国人。
彼は英語がとてもうまい、というのも母親がアメリカ人なんだ。

所以呀，我昨天没有办法来看你。 というわけでね、昨日は君に会いに来られなかったんだ。

“由于 yóuyú ～，所以 suǒyǐ ～” でも同じです。

由于现在打雷，所以我们不能在外边儿打球。
今雷が鳴っているので、外でボール遊びをすることはできません。

由于昨晚喝得太多，所以今天头有点儿疼。
ゆうべ飲み過ぎたので、今日は少し頭が痛い。

打雷 dǎ léi 雷が鳴る
头疼 tóuténg 頭が痛い

【3】“好像～”

这个鼠标好像是无线的吧。 このマウスは無線のようだね。

“好像 hǎoxiàng ～”「～のようだ、のような気がする、まるで～みたいだ」。“是 shì” を伴って “好像是～” と言うこともあります。また、文末に “似的 shìde”、“一样 yíyàng” を伴うこともあります。

好像是要下雨。 まもなく雨が降りそうだ。
他好像有点儿发烧。 彼は少し熱があるようだ。
那个小姐我好像在香港见过似的。 あのお嬢さんは香港で会ったことがあるような気がする。
李先生的女孩儿长得很漂亮，好像女演员一样。
李さんの娘さんはとてもきれいで、まるで女優のようだ。

香港 Xiānggǎng 香港　长 zhǎng 成長する
女演员 nǚyǎnyuán 女優

【4】パソコン用語

□光标 guāngbiāo カーソル
□图标 túbiāo アイコン
□双击 shuāngjī ダブルクリック
□地址 dìzhǐ アドレス
□密码 mìmǎ パスワード
□输入 shūrù 入力 インプット
□存取 cúnqǔ アクセス
□文件 wénjiàn ファイル
□扫描器 sǎomiáoqì スキャナー
□登录 dēnglù ログイン
□病毒 bìngdú ウィルス
□乱码 luànmǎ 字化け
□WORD ワード
□显示器 xiǎnshìqì ディスプレイ
□点击 diǎnjī クリック
□E妹儿 E mèir Eメール
□U盘 U pán USB
□台式电脑 táishì diànnǎo デスクトップパソコン
□输出 shūchū 出力 アウトプット
□用户 yònghù ユーザー
□打印机 dǎyìnjī プリンター
□数码相机 shùmǎ xiàngjī デジタルカメラ
□退出 tuìchū ログアウト
□添附文件 tiānfù wénjiàn 添付ファイル
□网上聊天儿 wǎngshang liáotiānr チャット
□EXCEL エクセル

? 問題 1 次のピンインを漢字に直し、さらに日本語に訳そう。

① Tā hǎoxiàng shì nǚháir shìde.
② Yòng WORD zuò wénjiàn ba.
③ Yīnwèi tiānqì bùhǎo, suǒyǐ wǒ bù xiǎng qù.
④ Zhè jiàn T xù zài nǎr mǎi de?
⑤ Wáng xiǎojiě hǎoxiàng shēngqì. Nǐ kuàidiǎnr xiàng tā dàoqiàn ba.

用 yòng ～を使って
件 jiàn 着 衣類の量詞
生气 shēngqì 怒る
向 xiàng ～道歉 dàoqiàn ～に謝る

? 問題 2 次の日本語を中国語にしよう。

① 私は中国語を学んでいるので、中国へ行きたいです。
② 昼ご飯を食べないの？ ——お金がないからね。
③ NHKって何？ ——日本のテレビ局だよ。
④ 張さんにメールを送って下さい。彼のアドレスが分かりますか？
⑤ 電車が遅れたんだ。 ——だから遅刻したんだね。

メールを出す 发E妹儿 fā E mèir
(電車等が)遅れる 晚点 wǎndiǎn
テレビ局 电视台 diànshìtái
遅刻する 迟到 chídào

? 問題 3 次のパソコン用語を音読し、さらに日本語にしよう。

① 光标　② 点击　③ E妹儿　④ 地址
⑤ U盘　⑥ 密码　⑦ 键盘　⑧ 软件

LESSON 7 三角比

山　本：李　科长，　请问，第　二　工厂　的　厂房　高度　有　多少？
Lǐ kēzhǎng, qǐngwèn, dì èr gōngchǎng de chǎngfáng gāodù yǒu duōshǎo?

李科长：为什么　问　这个？
Wèishénme wèn zhège?

山　本：北边　的　墙壁　要　重涂　油漆。想　知道　大概　的　面积。
Běibian de qiángbì yào chóngtú yóuqī. Xiǎng zhīdao dàgài de miànjī.

李科长：那　座　楼　很　旧。虽然　设计图　已经　没　有　了，但是　实际
Nà zuò lóu hěn jiù. Suīrán shèjìtú yǐjīng méi you le, dànshì shíjì

测量　一下　就　知道　了。
cèliáng yíxià jiù zhīdao le.

山　本：宽度　有　四十五　米。
Kuāndù yǒu sìshíwǔ mǐ.

李科长：用　三角比　没　问题。走　吧。
Yòng sānjiǎobǐ méi wèntí. Zǒu ba.

山　本：从　这儿　看　屋顶，　仰角　有　五十　度。
Cóng zhèr kàn wūdǐng, yǎngjiǎo yǒu wǔshí dù.

李科长：就是　正切　五十。第　二　工厂　离　这儿　有　三十五　米…，
Jiùshì zhèngqiē wǔshí. Dì èr gōngchǎng lí zhèr yǒu sānshíwǔ mǐ…,

$\tan 50^\circ \times 35 = 41.71$
Zhèngqiē 50 chéng 35 děngyú 41 diǎn 71

山　本：还　有　我　身高　一　米　七。一共　43.41.
Hái yǒu wǒ shēngāo yì mǐ qī. Yígòng 43 diǎn 41.

李科长：因为　宽度　四十五　米，$45 \times 43.41 = 1953.45$。
Yīnwèi kuāndù sìshíwǔ mǐ, 45 chéng 43 diǎn 41 děngyú 1953 diǎn 45.

面积　大约　一千　九百　五十　平方米。　什么　时候　开始
Miànjī dàyuē yìqiān jiǔbǎi wǔshí píngfāngmǐ. Shénme shíhou kāishǐ

作业？
zuòyè?

山　本：我　打算　下　星期　开始。
Wǒ dǎsuan xià xīngqī kāishǐ.

工厂 gōngchǎng 工場　厂房 chǎngfáng 工場の建物 作業場　高度 gāodù 高度 高さ
墙壁 qiángbì 壁 塀　重涂 chóngtú 塗り直す　油漆 yóuqī ペンキ　面积 miànjī 面積
座 zuò 建物等の量詞　旧 jiù 古い　设计图 shèjìtú 設計図　实际 shíjì 実際に
测量 cèliáng 計測する　宽度 kuāndù 幅　屋顶 wūdǐng 屋上　仰角 yǎngjiǎo 仰角
正切 zhèngqiē タンジェント　身高 shēngāo 身長　大约 dàyuē だいたい
平方米 píngfāngmǐ 平方メートル　作业 zuòyè 作業 宿題

【1】“虽然～但是～”

虽然设计图已经没有了，但是实际测量一下就知道了。

設計図はもうなくなったが、しかし実際に計測すれば分かる。

“虽然 suīrán ～，但是 dànshì ～”で、「～ではあるが、しかし～だ」と言う意味を表します。“虽 suī”は漢文に出てくる「雖も（いえども）」です。“但是”に代わって“可是 kěshì”、“却 què”が用いられることもあります。

虽然已经三月了，但是天气不暖和。　もうすでに３月だというのに暖かくない。

这种作业虽然比较简单，可是很重要。　この作業は比較的簡単だが、たいへん重要だ。

虽然已经过了十多年，但是我记得很清楚。

すでに十数年を経たが、私ははっきり覚えている。

这儿又安静空气又好，交通却不太方便。

ここは静かで空気もきれいなんだが、交通があまり便利じゃないんだ。

暖和 nuǎnhuo 暖かい　种 zhǒng 種類
清楚 qīngchu はっきりしている　方便 fāngbiàn 便利だ

【2】“从”と“离”

从这儿看屋顶。　ここから屋上を見る。

第二工厂离这儿三十五米…　第二工場はここから35メートルある。

介詞“从 cóng”と“离 lí”は、日本語に訳すとどちらも「～から」となってしまいますが、その意味の相違については、すでに入門編の第８課で学習しました。突き詰めて言ってしまえば、“从”は動作の起点を表し、“离”は場所的な２点間の隔たりを表すということです。区別に自信のない人は、もう一度、入門編の第８課を見直しておいてほしいと思います。

【3】加減乗除の言い方

tan50×35＝41.71　タンジェント50×35は41.71

45×43.41＝ 1953.45　45×43.41は1953.45

加減乗除の言い方についても、入門編の第5課のコラムで触れました。これについては、もう一度確認しておきましょう。中国語では、“加 jiā” たす、“减 jiǎn” ひく、“乘 chéng” かける、“除 chú” わる、という動詞を使います。等号記号「＝」は “等于 děngyú” または “得 dé” と読みます。

3＋2＝5　三加二等于（得）五。　sān jiā èr děngyú (dé) wǔ.
6－4＝2　六减四等于（得）二。　liù jiǎn sì děngyú (dé) èr.
5×3＝15　五乘三等于（得）十五。　wǔ chéng sān děngyú (dé) shíwǔ.
7÷2＝3.5　七除二等于（得）三点五。　qī chú èr děngyú (dé) sāndiǎnwǔ.

分数も表記は日本語と同じで、例えば “三分之一” と言いますが、“分 fēn”、“之 zhī” を中国音で読めばそのまま通じます。また％（パーセント）は “百分之 bǎifēnzhī ～” という言い方をします。

3／5　五分之三　wǔ fēn zhī sān
2／9　九分之二　jiǔ fēn zhī èr
85%　百分之八十五　bǎi fēn zhī bāshíwǔ

【4】数学用語

これに関連して、主な数学用語を紹介しましょう。見ると、日本語と同じ漢字表記の単語も少なくないことに気がつくと思います。つまりそのまま中国語読みすれば通じるものが多いということです。

□体积　tǐjī　体積
□微分　wēifēn　微分
□方程式　fāngchéngshì　方程式
□方根　fānggēn　ルート √
□锐角　ruìjiǎo　鋭角
□垂直　chuízhí　垂直
□立方米　lìfāngmǐ　立方メートル
□正弦　zhèngxián　サイン
□圆规　yuánguī　コンパス
□圆形图表　yuánxíng túbiǎo　円グラフ
□带状图表　dàizhuàng túbiǎo　帯グラフ
□毕达哥拉斯之定理　Bìdágēlāsī zhī dìnglǐ　ピタゴラスの定理
□表面积　biǎomiànjī　表面積
□积分　jīfēn　積分
□系数　xìshù　係数
□钝角　dùnjiǎo　鈍角
□椭圆　tuǒyuán　楕円
□抛物线　pāowùxiàn　放物線
□圆周率　yuánzhōulǜ　円周率
□余弦　yúxián　コサイン
□直线图表　zhíxiàn túbiǎo　棒グラフ
□折线图表　zhéxiàn túbiǎo　折れ線グラフ

【5】“打算”

我打算下星期开始。 来週始めるつもりです。

“打算 dǎsuan”＋動詞で「～するつもり」という意味になります。

我打算明天去故宫参观参观。 私は明日は故宮へ行って、ちょっと見学するつもりです。
你打算去哪儿？ 干什么？ あなたはどこへ行って何をするつもりなのか？

“打算”には名詞としての用法もあります。「計画、腹づもり」という意味です。

暑假你有什么打算？ 夏休みはどうするつもりですか？

暑假 shǔjià 夏休み

? 問題1 次の中国語を日本語に訳そう。

① 那位先生从哪儿来的？
② 我打算这周末跟爸爸去前门买东西。
③ 用圆规画直径五公分的圆。
④ 杭州离上海有多少公里？
⑤ 这种西瓜虽然样子不好，但是味道很好。
⑥ 百分之九十的中国人没见过日本人。

周末 zhōumò 週末
画 huà（絵や図を）描く
直径 zhíjìng 直径　圆 yuán 円
杭州 Hángzhōu 上海近辺の都市名
样子 yàngzi 様子 見た目

? 問題2 次の日本語を中国語にしよう。

① 身体は小さいが、力はある。
② 私は大阪から飛行機で北京へ戻ります。
③ この円グラフを見て下さい。15%の人々が外で朝食を食べています。
④ この夏休みは上海へ行って中国語の勉強をするつもりです。
⑤ この長方形の面積は45平方センチ。

力 力量 lìliang
長方形 长方形 chángfāngxíng

? 問題3 次の数式を中国語で読もう。

① $26+48=74$
② $100-58=42$
③ $15\times 8=120$
④ $25\div 4=6.25$
⑤ $\tan 45^\circ \times 65=65$
⑥ $\frac{1}{3}+\frac{1}{2}=\frac{5}{6}$
⑦ $\sqrt{2}=1.414$

LESSON 8 自動車

山　本：张　婷婷，你　有　车　吗？
Zhāng Tíngtíng, nǐ yǒu chē ma?

张婷婷：还　没　有。所以　我　只　知道　发动机、刹车、　方向盘、
Hái méi yǒu. Suǒyǐ wǒ zhǐ zhīdao fādòngjī、shāchē、fāngxiàngpán、

蓄电池　什么　的。
xùdiànchí shénme de.

山　本：有　没　有　驾驶　执照？
Yǒu méi yǒu jiàshǐ zhízhào?

张婷婷：刚刚　考到　了。倒车　入库　很　难。
Gānggāng kǎodào le. Dàochē rùkù hěn nán.

山　本：踩　离合器　也　难　吧？
Cǎi líhéqì yě nán ba?

张婷婷：现在　的　汽车　一般　都　是　不用　离合器　的。
Xiànzài de qìchē yìbān dōu shì búyòng líhéqì de.

山　本：哈哈，你　想　买　什么样　的　车？
Hāhā, nǐ xiǎng mǎi shénmeyàng de chē?

张婷婷：日本　的、德国　的、美国　的…，除了　中国　车　以外，
Rìběn de、Déguó de、Měiguó de…, chúle Zhōngguó chē yǐwài,

都　可以。
dōu kěyǐ.

山　本：是　吗？日本　的　车　质量　很　好。我　衷心　推荐。
Shì ma? Rìběn de chē zhìliàng hěn hǎo. Wǒ zhōngxīn tuījiàn.

张婷婷：哎呀，我　很　想　开车　去　哪儿　玩儿玩儿！
Āiyā, wǒ hěn xiǎng kāichē qù nǎr wánrwánr!

山　本：轮胎　爆了　的　话　怎么办？你　会　换　轮胎　吗？
Lúntāi bàole de huà zěnmebàn? Nǐ huì huàn lúntāi ma?

张婷婷：当然　不　会。叫　男朋友　来　就　可以　了。
Dāngrán bú huì. Jiào nánpéngyou lái jiù kěyǐ le.

山　本：原来　如此。
Yuánlái rúcǐ.

发动机 fādòngjī エンジン　引擎 yǐnqíng とも　刹车 shāchē ブレーキ
方向盘 fāngxiàngpán ハンドル　蓄电池 xùdiànchí バッテリー　倒车 dǎochē バックする　库 kù 車庫
刚刚 gānggāng ～したばかり　考到 kǎodào 合格する　驾驶执照 jiàshǐ zhízhào 運転免許証
踩 cǎi 踏む　离合器 líhéqì クラッチ　一般 yìbān ふつう　什么样 shénmeyàng どのような
德国 Déguó ドイツ　质量 zhìliàng 品質　衷心 zhōngxīn 心から　推荐 tuījiàn 推薦する
开车 kāichē 車の運転をする　轮胎 lúntāi タイヤ　爆 bào パンクする　换 huàn 取り替える
当然 dāngrán もちろん 当然　叫 jiào ～来 lái ～に来てもらう ～を呼びつける

【1】“除了～以外”

除了中国车以外都可以。　中国製の車以外だったら何でもいいわ。

“除了 chúle ～以外 yǐwài” は「～のほか」「～を除いて」という意味の連語です。
“除了 chúle ～之外 zhīwài” でも同じです。

这件事除了你和我之外，谁都不知道。　この件は君と僕以外、誰も知らないんだ。
我很喜欢吃日本菜，除了酱汤和梅干以外。
私は日本料理が大好きなんだ、味噌汁と梅干し以外はね。

酱汤 jiàngtāng 味噌汁　梅干 méigān 梅干し

【2】“原来如此”

原来如此。　なるほどね。

“原来如此 yuánlái rúcǐ” は、相手の言うことに納得したり、合点がいった際の決まり文句です。「なるほど」「そういうことか」という感じです。

为什么他突然去日本？　何で彼は急に日本へ行くんだ？
——因为他妈妈住在日本。　彼の母親は日本に住んでるんだ。
噢，原来如此。　ああ、なるほど。

突然 tūrán 突然

“原来 yuánlái” の原義は、「以前は」「もともと」という意味の副詞です。

他原来是一个教师。　彼はもともと教師だったんだ。
北京原来是蒙古族建筑的城市。　北京はもともとモンゴル族が建設した都市だ。

蒙古族 Měnggǔzú モンゴル族　建筑 jiànzhù 建設する
城市 chéngshì 都市

【3】疑問詞の不定用法

我很想开车去哪儿玩儿玩儿！　車を運転してどこかへ遊びに行きたいわね！

疑問詞には一般の疑問文を作る以外に、不定用法と言われるものがあります。日本語で説明しましょう。

Ａ：ここで何を食べますか。(疑問詞疑問文)
Ｂ：ここで何か食べます。(疑問詞不定用法)

Ｂの文は疑問文ではなく、まだ決定していない不定の食べ物を「何か」という疑問詞で表しています。これを不定用法と言うのです。おなかをすかせた高校生が、家へ帰ったら必ず言う「何か食べるものなーい？」というのも、不定用法です。

中国語では、疑問文か不定用法かは、前後の文脈から判断するよりしかたがありません。しかし手がかりもあります。例えば“我想 wǒ xiǎng ～（～したい)”、“好像 hǎoxiàng ～（～のようだ)”、“如果 rúguǒ ～（もし～)”、“動詞 + diǎnr（ちょっと～する)”の構文、あるいは文末に疑問の終助詞“吗 ma”を伴う文は、不定用法と判断してほぼ間違いありません。

咱们去外边儿吃点儿什么。　外へ行ってちょっと何か食べようよ。
如果你明天要去哪儿的话，就告诉我一声。
もし明日どこかへ行く必要があったら、私に言って下さい。
暑假你有什么打算吗？　夏休みは何か計画がありますか？
她没有答应，好像有什么苦恼。　彼女は返事をせず、何か悩みがあるようだった。
为了纪念这次旅游，我想买个什么。　旅の記念に何か買いたいと思います。
我想哪一天去上海逛逛南京东路。　私はいつか上海へ行って南京東路をぶらつきたい。

答应 dāying 返事 答え　苦恼 kǔnǎo 悩み 苦しみ　旅游 lǚyóu 旅行　纪念 jìniàn 記念
逛 guàng ぶらつく　南京东路 Nánjīng dōnglù 南京東路 上海の繁華街

【4】自動車用語

本文に出てこなかった自動車関連の単語を覚えましょう。

□行李箱　xínglǐxiāng　トランク／后车厢　hòuchēxiāng　後ろのトランク（第４課）
□汽油　qìyóu　ガソリン
□后视镜　hòushìjìng　バックミラー
□座席　zuòxí　シート
□安全带　ānquándài　シートベルト
□雨刷子　yǔshuāzi　ワイパー

? 問題1　次中国語を音読し、さらに日本語に訳そう。

① 他最近没有精神。——因为跟女朋友分手了。——原来如此。
② 这附近除了麦当劳以外，没有地方能喝咖啡。
③ 我有点儿累了。咱们在这儿坐下喝点儿什么吧。
④ 上飞机应该系安全带。

精神 jīngshen 元気　分手 fēnshǒu（人と）別れる　附近 fùjìn 付近
麦当劳 Màidāngláo マクドナルド　地方 dìfang 場所　累 lèi 疲れる
飞机 fēijī 飛行機　系 jì 締める 結ぶ

? 問題2　次の日本語を中国語にしよう。

① 今夜は誰かと麻雀をしたいなあ。
② 中国のガソリンは１リットルいくらでしょうか。
③ 明日は李さん以外はみんな出勤です。
④ 呉さんは呉工場長の娘さんなんだよ。——そうだったのか。

麻雀をする 打麻将 dǎ májiàng
リットル 公升 gōngshēng
工場長 厂长 chǎngzhǎng

? 問題3　次のピンインを漢字に直し、さらに日本語に訳そう。

① Wǒ de xiǎngfǎ yǒu shénme wèntí ma?
② Tā yuánlái shì gōnggòngqìchē de sījī. —— Yuánlái rúcǐ.
③ Dōngxi tài dà, qǐng xínglǐxiāng dǎkāi ba.
④ Chúle tā yǐwài nǐmen dōu shì wàiguórén ma?

想法 xiǎngfǎ 考え方　公共汽车 gōnggòngqìchē 路線バス
外国人 wàiguórén 外国人

コラム　中国の自動車事情

中国と言えばかつては自転車のイメージでしたが、今では日本に負けない自動車社会となりました。2016年の自動車販売台数はアメリカ、日本を抑えて、中国が世界一です。この大きな市場を巡って、日本はもとよりアメリカ、ドイツ、韓国のメーカーがしのぎを削っています。中国車もあり、価格が安いのですが、性能やデザインが劣り、まだまだ外国メーカーには太刀打ちできない様です。課文の中で張さんが“**除了中国车以外，都可以。**”と言いましたが、そういう事情があるのです。最後に主な自動車メーカーの中国名を紹介しておきましょう。

□丰田　Fēngtián　トヨタ
□本田　Běntián　ホンダ
□奔驰　Bēnchí　ベンツ
□福特　Fútè　フォード
□马自达　Mǎzìdá　マツダ
□大众　Dàzhòng　フォルクスワーゲン
□通用　Tōngyòng　ゼネラルモーターズ
□现代　Xiàndài　ヒュンダイ

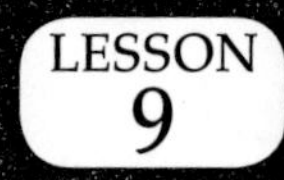

LESSON 9 工具箱

山　本：你们　在　作业　中，　千万　注意　安全。先　看看　工具。
Nǐmen zài zuòyè zhōng, qiānwàn zhùyì ānquán. Xiān kànkan gōngjù.

把　工具　整整齐齐　地　准备　好　啊？
Bǎ gōngjù zhěngzhěngqíqí di zhǔnbèi hǎo a?

许建国：没　问题。
Méi wèntí.

山　本：那么，把　零件　安装　到　指定　的　位置。
Nàme, bǎ língjiàn ānzhuāng dào zhǐdìng de wèizhì.

许建国：怎么　回事？　装　不　进去。
Zěnme huíshì? Zhuāng bu jìnqu.

山　本：你　试试　相反　的　方向。
Nǐ shìshi xiāngfǎn de fāngxiàng.

许建国：为了　弯　这　根　电线　需要　钳子。
Wèile wān zhè gēn diànxiàn xūyào qiánzi.

我　在　哪儿　能　找到　钳子？
Wǒ zài nǎr néng zhǎodào qiánzi?

山　本：钳子　在　工具箱　里。…这个　螺丝　有点儿　松。
Qiánzi zài gōngjùxiāng li. …Zhège luósī yǒudiǎnr sōng.

用　螺丝刀　拧紧。
Yòng luósīdāo nǐngjǐn.

许建国：螺丝刀　在　哪儿？
Luósīdāo zài nǎr?

山　本：又　没　有　了？工具　呢，　用完　应该　放回到
Yòu méi yǒu le? Gōngjù ne, yòngwán yīnggāi fànghuídao

工具箱　里。把　工具　乱放　的　话，不但　会　丢失，
gōngjùxiāng li. Bǎ gōngjù luànfàng de huà, búdàn huì diūshī,

而且　会　出　危险。
érqiě huì chū wēixiǎn.

许建国：我　知道　了。以后　收拾　好。
Wǒ zhīdao le. Yǐhòu shōushi hǎo.

千万 qiānwàn じゅうぶんに 絶対に　注意 zhùyì 注意する　安全 ānquán 安全　工具 gōngjù 工具
整齐 zhěngqí きちんと　准备 zhǔnbèi 準備 準備する　那么 nàme 接続詞 それでは　零件 língjiàn 部品
安装 ānzhuāng 取り付ける　指定 zhǐdìng 指定する　位置 wèizhì 位置 場所　相反 xiāngfǎn 反対 逆
方向 fāngxiàng 方向　弯 wān 曲げる 曲がる　根 gēn 量詞 細長い物を数える 本　电线 diànxiàn 電線
需要 xūyào 必要である　钳子 qiánzi ペンチ　找 zhǎo 探す　工具箱 gōngjùxiāng 工具箱　螺丝 luósī ネジ
松 sōng 緩い 緩める　螺丝刀 luósīdāo ドライバー　拧紧 nǐngjǐn きつく締める　放 fàng 置く
乱放 luànfàng 乱雑に置く　丢失 diūshī 紛失する　危险 wēixiǎn 危険　出 chū 引き起こす
收拾 shōushi 片付ける

【1】“～地”の用法

把工具整整齐齐地准备好啊？　工具をきちんと準備しましたね？

この文はちょっと複雑に見えますが、“整整齐齐地 zhěngzhěngqíqí di（きちんと）”が“准备 zhǔnbèi（準備する）”を修飾していることが分かれば簡単です。“地 di”はいろんな語について、連用修飾語を作る働きがあるのです。

他满身出汗地搬动电视机了。　彼は全身汗まみれでテレビを動かした。
她不好意思地看着我。　彼女は申し訳なさそうに私を見ている。
她丈夫偷偷摸摸地走进房间来了。　彼女のご主人はこっそりと部屋に入ってきた。
女老板意味深长地说 " 她现在很忙 "。
女主人は意味ありげに「あの子は今忙しいのよ」と言った。

满身 mǎnshēn 全身　出汗 chūhàn 汗をかく　搬 bān 運ぶ　不好意思 bùhǎoyìsi 申し訳ない はずかしい
丈夫 zhàngfu 男性配偶者　偷偷摸摸 tōutōumōmō こそこそ 秘密に　房间 fángjiān 部屋
意味深长 yìwèi shēncháng 意味深長である

“地 di”は“de”とも発音され、表記が“的”となっていることもあります。こうなると連体修飾語を作る“的 de”との区別ができなくなってしまうような気がしますが、“的”の直後に動詞が来ていれば連用修飾語、名詞が来ていれば連体修飾語です。それほど難しい区別ではありません。

他不停的说话。　彼はとめどなく話している。（“说”動詞 → 連用修飾語）
他说不停的话。　彼はとめどない話をしている。（“话”名詞 → 連体修飾語）

【2】“怎么回事？”

怎么回事？ どうしたことだ？

“怎么回事? Zěnme huíshì?”は、話し手が不審を感じたり、事態や状況が理解できない時に発することばです。「どういうこと？」「なんでこうなの？」という感じです。

怎么回事？ 大家还没来吗？ どういうこと？みんなまだ来てないの？
我怎么回事？ 我喜欢上她了吗？ 私はどうしたんだ？彼女が好きになったのかな？

喜欢上 xǐhuanshàng 好きになる

【3】“又”と“再”

又没有了？ またなくなった？

“又 yòu” も “再 zài” も「また」「ふたたび」という意味の副詞ですが、その用法には相違があります。根本的な違いは、“又”は已然を、“再”は未然を表すということです。

我明天再来。 私は明日また来ます。
你今天又来了吗？ 君は今日また来たの？

“又”で繰り返される動作や状況は、まったく同じでなくても構いません。

我在书店买了一本词典，又在餐厅吃了午饭。
私は本屋で辞書を買い、またレストランで昼食を食べた。
他们参观了故宫，又逛了逛王府井。 彼らは故宮を見学し、また王府井をぶらついた。

【4】“不但～而且～”

不但会丢失，而且会出危险。 なくなるだけでなく、危険でもある。

“不但～而且～”で、「～だけでなく、～でもある」という累加の意味を表します。
前後の主語が同じなら“不但”は主語の後に、主語が異なるなら主語の前に置きます。

他不但很聪明，而且身体很健康。 彼は賢いだけでなく、身体も健康だ。
不但哥哥上大学走了，而且姐姐结婚不在家了。
兄が大学に入って行ってしまっただけでなく、姉も結婚していなくなった。

聪明 cōngmíng 賢い

【5】その他の工具　本文に出てこなかった工具の中国語と動詞を覚えましょう。

□斜口钳　xiékǒuqián　ニッパー
□锤子　chuízi　ハンマー
□铆钉　mǎodīng　リベット
□钻孔机　zuānkǒngjī　ドリル
□螺丝钉　luósīdīng　ボルト
□起重机　qǐzhòngjī　クレーン
□齿轮　chǐlún　歯車／游隙　yóuxì　歯車の遊び
□扳手　bānshǒu　レンチ／活扳手　huóbānshǒu　モンキースパナ
□螺母　luómǔ　ナット／六角螺母　liùjiǎoluómǔ　六角ナット
□烙铁　làotiě　ハンダごて
□尖嘴钳　jiānzuǐqián　ラジオペンチ
□千斤顶　qiānjīndǐng　ジャッキ
□吊车　diàochē　リフト
□车床　chēchuáng　旋盤
□电钮　diànniǔ　（電気器具等の）スイッチ

□拧　nǐng　（ネジ、ふた等を）ねじる ひねる
□铆　mǎo　（リベットを）打つ
□按　àn　（ボタン等を）押す
□敲　qiāo　たたく
□用　yòng　（道具を等を）使う
□开动　kāidòng　（機器を）動かす

? 問題1　次の中国語を音読し、さらに日本語に訳そう。

① 他的头发跟你一样地白了。
② 怎么回事？飞机不起飞。
③ 你用扳手拧松螺母。
④ 早饭吃了饺子，午饭又吃了饺子，晚饭再吃饺子吗？
⑤ 下个月我再来看你。

头发 tóufa 頭髪
起飞 qǐfēi 飛び上がる 離陸する

? 問題2　次の日本語を中国語にしよう。

① この人昨日も来たし、今日もまた来た。
② お向かいのホテルは部屋が広いだけでなく、部屋代も安い。
③ 李さんはとても嬉しそうに「また明日来ます」と言った。
④ どういうこと？　君が中国語を勉強し始めるなんて。
⑤ スイッチを押して、旋盤を動かしなさい。

向かい側 对面 duìmiàn
部屋代 房费 fángfèi
嬉しい 高兴 gāoxìng

? 問題3　（　　）に適切な動詞を入れよう。

①（　　　）铆钉：リベットを打つ
②（　　　）起重机：クレーンを動かす
③（　　　）电钮：スイッチを押す
④（　　　）铁板：鉄板をたたく
⑤（　　　）螺丝：ドライバーでネジを回す

铁板 tiěbǎn 鉄板

乾電池

山本：好像　是　电池　没　电　了。开关　打不开。
Hǎoxiàng shì diànchí méi diàn le. Kāiguān dǎbukāi.

王涛：换　电池　吧。是　二　号　电池？　还是　五　号　电池？
Huàn diànchí ba. Shì èr hào diànchí? Háishì wǔ hào diànchí?

山本：就是　五　号　电池。　有　两　个　碱性　电池　吗？
Jiùshì wǔ hào diànchí. Yǒu liǎng ge jiǎnxìng diànchí ma?

王涛：有。稍　等　一下。
Yǒu. Shāo děng yíxià.

山本：在　中国　纽扣　电池　很　贵。　上　星期天　买了　一　个，
Zài Zhōngguó niǔkòu diànchí hěn guì. Shàng xīngqītiān mǎile yí ge,

贵得　让　我　吃了　一　惊。
guìde ràng wǒ chīle yì jīng.

王涛：我　看　日本　的　纽扣　电池　又　便宜　质量　又　好。
Wǒ kàn Rìběn de niǔkòu diànchí yòu piányi zhìliàng yòu hǎo.

用得　时间　也　很　长。你　能　不能　下次　回　日本　的
Yòngde shíjiān yě hěn cháng. Nǐ néng bunéng xiàcì huí Rìběn de

时候　给　我　买　些　回来？
shíhou gěi wǒ mǎi xiē huílái?

山本：能。　小菜　一　碟。
Néng. Xiǎocài yì dié.

王涛：找到　了。日本产　的。给　你。　装上　试试　吧。
Zhǎodào le. Rìběnchǎn de. Gěi nǐ. Zhuāngshang shìshi ba.

山本：谢谢。哟，怎么回事？　还是　打　不开。
Xièxie. Yo, zěnmehuíshì? Háishi dǎ bùkāi.

王涛：你　着　什么　急　呢？你　把　电池　的　正极　和　负极　装反　了。
Nǐ zháo shénme jí ne? Nǐ bǎ diànchí de zhèngjí hé fùjí zhuāngfǎn le.

山本：啊哈，我　太　迷糊　了。
Āhā, wǒ tài míhú le.

开关 kāiguān スイッチ “电钮 diànniǔ” とも（第９課）　二号电池 èr hào diànchí 単二電池
五号电池 wǔ hào diànchí 単三電池　碱性电池 jiǎnxìng diànchí アルカリ電池
纽扣电池 niǔkòu diànchí ボタン電池　吃惊 chījīng 驚く びっくりする　下次 xiàcì この次
～的时候 de shíhou ～の時　些 xiē 少し “一些” でも同じ　正极 zhèngjí プラス極 “阳极 yángjí” とも言う
负极 fùjí マイナス極 “阴极 yīnjí” とも言う　啊哈 āhā 感嘆詞 あっ うへっ　迷糊 míhú ぼんやりしている まぬけ

【1】離合詞

吃了一惊。 ちょっと驚きました。

你着什么急呢？ 君は何を慌てているんだ？

“吃惊 chījīng”，“着急 zháojí” は辞書を引くと、それぞれ「驚く」「慌てる」とあり、これでひとつの熟語のように見えますが、実は元々が “吃＋惊”、“着＋急” という構造です。そのため、補語や修飾語等、他の成分が入ってくると簡単に二つに分離してしまいます。こういう性質を持つ二音節の動詞を「離合詞」と呼びます。離合詞は辞書には、“吃惊 chī//jīng”、“着急 zháo//jí” のように間に // を入れて、それと示してあります。以下に、よく使う離合詞を、用例を挙げて紹介しましょう。

○结婚　jiéhūn　結婚する

她结过三次婚。 彼女は３回結婚したことがある。

○吃饭　chīfàn　ご飯を食べる

她每天只吃两顿饭。 彼女は毎日２回しかご飯を食べていない。

顿 dùn 食事を数える量詞

○帮忙　bāngmáng　手伝う

快来帮帮我的忙。 早く来てちょっと私を手伝ってよ。

○洗澡　xǐzǎo　風呂に入る

我喜欢夏天洗冷水澡。 私は夏に水風呂に入るのが好きだ。

○睡觉　shuìjiào　眠る

以前的中国人都有睡午觉的习惯。 以前の中国人にはみんな昼寝の習慣があった。

○散步　sànbù　散歩する

吃饭后散一会儿步对身体好。 食後にしばらく散歩をするのは身体に良い。

○排队　páiduì　並ぶ 列を作る

为了买票，大家排着很长队。 切符を買うために、みんな長い列を作っている。

○生气　shēngqì　怒る 腹を立てる

你不要生你妹妹的气。 妹さんを怒ってはいけませんよ。

【2】“我看”

我看日本的纽扣电池又便宜质量又好。 私は日本のボタン電池は安くて品質が良いと思う。

ここでの“看 kàn”は「見る」ではなく、「〜と思う」という意味です。「思う」という意味の語は他にも“觉得 juéde”（第４課）、“想 xiǎng”、“以为 yǐwéi”、“认为 rènwéi”等があって、微妙な意味上の使い分けもあるようです。少し整理してみましょう。

①“看 kàn”「見なす 自分がそのように見る」主語は一、二人称のみ

我看你还是应该自己说明一下。 私はやはり君が自分で説明すべきだと思う。

②“认为 rènwéi”「そのように判断する 〜と考える」（かなり強い自信）

医生认为她的病不太严重。 医者は彼女の病気はそれほど重くないと考えている。

③“以为 yǐwéi”「判断を示す 〜とする 〜と考える」（“认为”より根拠が弱い感じ）

我以为这杯咖啡的温度很合适。 私はこのコーヒーの温度はちょうど良いと思う。

実はこの３語の区別はかなりあいまいです。あまり気にせずともよいでしょう。

④“想 xiǎng”「考える 推測する 希望する（入門編・第６課）」

他想了一会儿回答我了。 彼はちょっと考えてから私に返事をした。

我很想吃大闸蟹。 私はぜひ上海ガニを食べたい。

⑤“觉得 juéde”「〜と感じる 〜のような気がする」

我觉得这件毛衣有点儿大。 このセーターはちょっと大きいと思う。

严重 yánzhòng 重大である
回答 huídá 返事する
毛衣 máoyī セーター

【3】“小菜一碟”

你能不能下次回日本的时候给我买些回来？ —— 小菜一碟。

この次日本へ帰る時に少し買ってきてくれないか。 ——お安いご用です。

“小菜一碟 xiǎocài yì dié”は直訳すれば、「小皿一皿の料理」です。小皿一皿の料理を作るくらい誰でもできる、転じて、ごくごく簡単なことという意味で使われます。

你替我去飞机场接客人吧。 ——好的，小菜一碟。

私の代わりに空港へお客さんを迎えに行ってくれ。 ——いいよ、お安いことだ。

替 tì 〜に代わって　接 jiē 迎える　客人 kèrén お客

【4】 電気製品用語　家電を中心とした単語と、家電メーカー名を覚えましょう。

□冰箱　bīngxiāng　冷蔵庫
□收音机　shōuyīnjī　ラジオ
□吸尘器　xīchénqì　掃除機
□电扇　diànshàn　扇風機
□遥控　yáokòng　リモコン
□面包炉　miànbāolú　トースター
□吹风机　chuīfēngjī　ドライヤー
□耳机　ěrjī　イヤフォン
□洗衣机　xǐyījī　洗濯機
□收录音机　shōulùyīnjī　ラジカセ
□空调　kōngtiáo　エアコン
□电饭煲　diànfànbāo　電気炊飯器
□微波炉　wēibōlú　電子レンジ
□洗碗机　xǐwǎnjī　食器洗い機
□电动刮胡刀　diàndòng guāhúdāo　電気カミソリ
□头戴式耳机　tóudàishì ěrjī　ヘッドフォン

□松下　Sōngxià　松下電気
□索尼　Suǒní　ソニー
□菲利浦　Fēilìpǔ　フィリップス
□海尔　Hǎi'ěr　ハイアール
□东芝　Dōngzhī　東芝電気
□日本电气　Rìběndiànqì　NEC
□三星　Sānxīng　サムスン
□通用电气　Tōngyòngdiànqì　GE

？問題1　次の中国語を音読し、さらに日本語に訳そう。

① 我看她不是撒谎的人。
② 你现在能不能帮我的忙？
③ 我跟白小姐散了一个小时步。
④ 你有微波炉吗？ 有，一个人住，用微波炉很方便。

撒谎 sāhuǎng うそをつく
帮忙 bāngmáng 手伝う

？問題2　次の日本語を中国語にしよう。

① 私は松下電器の電気炊飯器を買いたい。
② 私は汽車の切符を買うために２時間並んだ。
③ 明日８時に来ることができますか？――お安いことです。
④ 私は日本の冷蔵庫は品質が良いと思う。

汽車の切符　火车票 huǒchēpiào

？問題3　次のピンインを漢字に直し、さらに日本語に訳そう。

① Nǐ xiān shuāyá zài shuì yíhuìr jiào ba.
② Wǒ kàn Lǐ zhǔrèn jīntiān bù huílái.
③ Qǐng bǎ yáokòng dìgěi wǒ ba.
④ Wǒ juéde zhè jiàn dàyī gēn nǐ héshì.

大衣 dàyī コート　递给 dìgěi ～に手渡す

LESSON 11 電気実験

山本：我　恐怕　这个　设备　有点儿　问题。
Wǒ kǒngpà zhèige shèbèi yǒudiǎnr wèntí.

王涛：你　为什么　这样　认为　呢？
Nǐ wèishénme zhèyàng rènwéi ne?

山本：因为　它　有时　发出　奇怪　的　声音。
Yīnwèi tā yǒushí fāchū qíguài de shēngyīn.

王涛：再　仔细　检查　一下。连　一　个　问题　也　不　能　漏掉。
Zài zǐxì jiǎnchá yíxià. Lián yí ge wèntí yě bù néng lòudiào.

山本：这　根　电缆　漏电。
Zhè gēn diànlǎn lòudiàn.

王涛：知道　了。我们　现在　换　电缆。换完　再　试试。
Zhīdao le. Wǒmen xiànzài huàn diànlǎn. Huànwán zài shìshi.

一定　要　把　电压　设置　在　100　伏特。
Yídìng yào bǎ diànyā shèzhì zài yìbǎi fútè.

山本：能　告诉　我　为什么　吗？
Néng gàosu wǒ wèishénme ma?

王涛：因为　过　高　的　电压　会　把　电路　烧坏。太　危险　了。
Yīnwèi guò gāo de diànyā huì bǎ diànlù shāohuài. Tài wēixiǎn le.

千万　要　注意　安全。
Qiānwàn yào zhùyì ānquán.

山本：成功　了！测量　值　的　误差　都　在　允许　范围　内。
Chénggōng le! Cèliáng zhí de wùchā dōu zài yǔnxǔ fànwéi nèi.

王涛：好。把　测量　值　作成　表格。这个　设备　很　贵。
Hǎo. Bǎ cèliáng zhí zuòchéng biǎogé. Zhèige shèbèi hěn guì.

你　再　好好　看看　使用　手册。
Nǐ zài hǎohāo kànkan shǐyòng shǒucè.

山本：使用　手册　被　谁　拿走　了。现在　没　有。
Shǐyòng shǒucè bèi shéi názǒu le. Xiànzài méi yǒu.

王涛：太　不像话　了！离开　这　房间　时　一定　要　锁门。
Tài búxiànghuà le. Líkāi zhè fángjiān shí yídìng yào suǒmén.

设备 shèbèi 装置 機械　有时 yǒushí 時々　发出 fāchū 発する　奇怪 qíguài 不思議 奇妙
声音 shēngyīn 声 音　仔细 zǐxì 子細に　检查 jiǎnchá 検査する　电缆 diànlǎn ケーブル
漏电 lòudiàn 漏電　电压 diànyā 電圧　设置 shèzhì 設定する　伏特 fútè ボルト
过高 guògāo 高すぎる　电路 diànlù 回路　烧坏 shāohuài 燃えて壊れる　成功 chénggōng 成功
测量值 cèliáng zhí 測定値　误差 wùchā 誤差　允许 yǔnxǔ 許す 認める　范围 fànwéi 範囲
表格 biǎogé 表　使用手册 shǐyòng shǒucè マニュアル　离开 líkāi 離れる
不像话 búxiànghuà 話にならない　拿 ná 持つ 取る　锁 suǒ カギをかける

【1】“恐怕”

我恐怕这个设备有点儿问题。　私はこの装置は少し故障があると思う。

“恐怕 kǒngpà” も「～と思う」という意味です。ただしその内容が、話し手にとって望ましくない事である場合にのみ使います。

我恐怕明天会下雨。　明日は雨じゃないかな。
我恐怕我们已经赶不上三点的飞机了。　私はもうすでに3時の飛行機に間に合わないと思う。
我恐怕他的钱包不会回来。　私は彼の財布は戻ってこないと思う。

赶不上 gǎnbushàng 間に合わない

【2】“连～也～”

连一个问题也不能漏掉。　たったひとつの問題さえも見落とすことはできない。

“连 lián” は “也 yě”、“都 dōu”、“还 hái” などと呼応して「～ですら、さえ、まで」という意味を表します。

这样的问题连小孩子都明白。　こんな問題は小さな子どもでも分かる。
她连妈妈也没有告诉。　彼女はお母さんにさえも言わなかった。
她对我不感兴趣。她大概连我的名字都不知道。
彼女は僕に興味はないさ。多分、僕の名前さえ知らないよ。

漏掉 lòudiào 見落とす
对 duì ～感兴趣 gǎn xìngqù ～に興味を持つ

【3】受身文

使用手册被谁拿走了。　マニュアルは誰かに持って行かれました。

主語＋“被 bèi”＋動作主＋動詞で受け身を表します。

我的威士忌被老大喝完了。　私のウイスキーが長男に飲まれてしまった。

科长，你的杯子被我打碎了。

課長、あなたのカップは私によって割られてしまいました。＝私が割ってしまいました。

老大 lǎodà 長男　碎 suì 砕ける

“让 ràng”、“叫 jiào” も受身を表す介詞です。“被 bèi” より、やや口語的です。

我爸爸的钱包在北京让人偷了。　父は北京で財布を盗まれてしまった。

院子里的樱树叫大风刮倒了。　中庭の桜の木は大風で倒されてしまった。

偷 tōu 盗む　樱树 yīngshù 桜の木
刮 guā（風が）吹く　倒 dǎo 倒れる ここでは補語

“被 bèi” は必ず受身文ですが、“让 ràng”、“叫 jiào” は使役文（入門編・第11課）も作ります。使役文か受身文かは、前後の文脈により判断することになります。例えば下の文を受身文に読むことはできないでしょう。

老师让张洁念第三课。　先生は張潔に第３課を読ませます。

张洁 Zhāng Jié 人名 張潔
念 niàn 音読する

【4】電気関係用語

□瓦特 wǎtè ／瓦 wǎ ワット
□插座 chāzuò ／插口 chākǒu コンセント
□灯头 dēngtóu ソケット
□线圈 xiànquān コイル
□电线 diànxiàn ／软线 ruǎnxiàn コード
□电容器 diànróngqì コンデンサ
□变压器 biànyāqì 変圧器
□压缩机 yāsuōjī コンプレッサー
□欧姆定律 Ōumǔ dìnglǜ オームの法則
□焦耳定律 Jiāo'ěr dìnglǜ ジュールの法則
□弗莱明 定律 Fúláimíng dìnglǜ フレミングの法則
□安培 ānpéi アンペア
□插头 chātóu プラグ
□地线 dìxiàn アース線
□马达 mǎdá ／发动机 fādòngjī モーター
□扭矩 niǔjǔ トルク
□保险丝 bǎoxiǎnsī ヒューズ
□灯丝 děngsī フィラメント

? 問題 1　次の中国語を音読し、さらに日本語に訳そう。

① 他连在老师的面前也不说真话。
② 我恐怕她不太喜欢这礼物。
③ 那本书被一个外国留学生借走了。
④ 我妈妈不明白插座和插头的区别。

面前 miànqián 面前
礼物 lǐwù お土産
借 jiè 貸す 借りる

? 問題 2　次の日本語を中国語にしよう。

① 明日は雨が降ると思う。
② 君はボルトとアンペアの関係が説明できますか。
③ 馬さんは8時には来られないのではないかと思う。
④ 私の意見は多くの人に反対されている。
⑤ 彼の母親さえ彼がどこにいるか知らない。

区別 区别 qūbié
意見 意见 yìjiàn
反対（する）反对 fǎnduì

? 問題 3　次のピンインを漢字に直し、さらに日本語に訳そう。

① Nǐ de ròubāozi ràng nà zhī gǒu chī le.
② Zài Zhōngguó diànyā shì èrbǎi fútè.
③ Tīngdao zhè xiāoxi lián yěye dōu xiào le.
④ Wǒ kǒngpà tāmen yǐjīng fēnshǒu le.

肉包子 ròubāozi 肉まん
只 zhī 動物を数える量詞 匹
狗 gǒu 犬
消息 xiāoxi ニュース 知らせ
笑 xiào 笑う
分手 fēnshǒu 別れる

コラム　外来語

中国語は日本語のカタカナに当たるものがなく、外来語の入りにくい言語です。音訳して近い音の漢字を当てると、漢字の持つ意味に惑わされます。そこで、原則として意訳語を作っていました。

セーター → 毛衣 máoyī　　テレビ → 电视 diànshì
トマト → 西红柿 xīhóngshì　　ビタミン → 维生素 wéishēngsù

しかし外来語がたくさん入ってくると、訳語の制作が間に合わず、また音訳の方がモダンな感じがすることもあり、音訳語が増えました。この場合、使用される漢字の意味はまったく関係ありません。

ナイロン → 尼龙 nílóng　　パーティー → 派对 pàiduì

音訳語にその意味範疇を表す語をつけ加えるのは、少しでも単語の意味を表現しようとする工夫でしょう。

ビール → 啤酒 píjiǔ（ビーという名のお酒）　ボーリング → 保龄球 bǎolíngqiú（パオリンというボール遊び）

外国の人名や地名はそのまま音訳するより仕方がありません。この点については、第1課のコラムで述べました。

第12課

燃費論争

科　长：关于 耗油量 的 研究 讨论会，现在 开始。
Guānyú hàoyóuliàng de yánjiū tǎolùnhuì, xiànzài kāishǐ.

请 大家 不要 紧张。一边 喝 咖啡，一边 讨论 吧。
Qǐng dàjiā búyào jǐnzhāng. Yìbiān hē kāfēi, yìbiān tǎolùn ba.

张荣国：现在 是 混合 动力 的 时代。一般 车 的 耗油量 比
Xiànzài shì hùnhé dònglì de shídài. Yìbān chē de hàoyóuliàng bǐ

混合 动力 的 多 一 倍 左右。
hùnhé dònglì de duō yí bèi zuǒyòu.

林大海：我 看 马上 是 电力 汽车 的 时代 了。因为 电费 只有
Wǒ kàn mǎshàng shì diànlì qìchē de shídài le. Yīnwèi diànfèi zhǐyǒu

油费 的 百分之 四十。电力 汽车 声音 也 很 安静。
yóufèi de bǎifēnzhī sìshí. Diànlì qìchē shēngyīn yě hěn ānjìng.

张　洁：我 不 同意 他 的 看法。普及 电力 汽车 还 要 很 长
Wǒ bù tóngyì tā de kànfǎ. Pǔjí diànlì qìchē hái yào hěn cháng

时间。
shíjiān.

张荣国：现在 的 阶段，柴油 发动机 是 还有 可能性 的。
Xiànzài de jiēduàn, cháiyóu fādòngjī shì háiyǒu kěnéngxìng de.

山　本：柴油 发动机？
Cháiyóu fādòngjī?

张荣国：难道 不 知道 柴油 发动机 吗？
Nándào bù zhīdao cháiyóu fādòngjī ma?

山　本：当然 知道。柴油 发动机 除了 油费 便宜 以外，
Dāngrán zhīdao. Cháiyóu fādòngjī chúle yóufèi piányi yǐwài,

另外 有 什么 特点？
lìngwài yǒu shénme tèdiǎn?

张荣国：柴油 发动机 的 最大 的 特点 是 不 需要 火花塞。
Cháiyóu fādòngjī de zuìdà de tèdiǎn shì bù xūyào huǒhuāsāi.

在 欧州 柴油 汽车 并不 少见 的。
Zài Ōuzhōu cháiyóu qìchē bìngbu shǎojiàn de.

关于 guānyú ～に関して　耗油量 hàoyóuliàng 燃費　讨论 tǎolùn 討論する　时代 shídài 時代
混合动力 hùnhé dònglì ハイブリッド　同意 tóngyì 同意する　看法 kànfǎ 見方 考え方
普及 pǔjí 普及する させる　阶段 jiēduàn 段階　可能性 kěnéngxìng 可能性　特点 tèdiǎn 特徴
柴油发动机 cháiyóu fādòngjī ディーゼルエンジン “柴油” が軽油 “轻油” とも　另外 lìngwài 別の 他の
火花塞 huǒhuāsāi プラグ　欧州 Ōuzhōu ヨーロッパ　少见 shǎojiàn 珍しい　并 bìng 否定語を伴う副詞 “并不～” で、決して～ない 別に～ない　＊「％」の読み方は、“百分之 bǎi fēn zhī ～”

【1】“一边～，一边～”

一边喝咖啡，一边讨论吧。　コーヒーを飲みながら討論しよう。

“一边 yìbiān ～，一边 yìbiān ～” で二つの動作の同時進行を表します。「～しながら～する」ということです。“一面 yímiàn ～，一面 yímiàn ～” でも同じです。

爸爸，你不要一边看报纸，一边吃早饭。
お父さん、新聞を読みながら朝ご飯を食べないでね。

没时间了，一边说话，一边收拾吧。　時間がない、話をしながら片付けよう。

这个房间可以一面躺着，一面赏月。　この部屋は寝ながら月見ができる。

躺 tǎng 横になる　赏月 shǎngyuè 月を愛でる 月見をする

【2】割合の言い方

耗油量比混合动力车多一倍左右。　燃費はハイブリッド車に比べて２倍くらいです。

电费是油费的百分之四十。　電気料金はガソリン代の40％です。

“倍 bèi” は日本語の「倍」と同じです。しかし動詞や形容詞を伴うと、その倍数だけ変化した、そういう状態だという意味です。つまり “加（一）倍” は、さらに一倍加えるのだから２倍になるし、“大三倍” なら３倍分大きい、つまり４倍の大きさだというのです。

四的三倍是十二。　４の３倍は12だ。

我的工资加了两倍。　給料が３倍になった。

这个比那个贵一倍。　これはあれより倍高い。

百分之三十五。　35パーセント

百分之五十左右。　約50パーセント

この他に割合を表す語として、“成 chéng” があります。十分の一を表しますから、日本語の「割」に当たります。

减少三成了。　３割減少した。

减少 jiǎnshǎo 減少する

八成的人已经同意了。　８割の人がすでに同意している。

商店等で“打八折 dǎ bāzhé”という表示を見ることがあります。これは８割引ではなく、８掛け、則ち２割引です。間違えたら大変です。

全场打七折。　全品３割引き

全场 quánchǎng 満場 店中

【3】反語文

难道不知道柴油发动机吗？　まさかディーゼルエンジンを知らないはずないよね？

“难道 nándào”は文末に“吗 ma”や“不成 bùchéng”を伴って反語を作る語です。反語というのは、漢文や古文の時間に勉強しました。疑問の形を借りた強調文です。ここでは、「まさか知らないの？」→「いや、当然知っているはずだ」という感じです。

难道你没吃过北京烤鸭不成？　まさか北京ダックを食べたことがないわけじゃないたろ？
这儿不能抽烟。难道你不明白吗？　ここは禁煙だ。そんなことも分からないはずじゃないだろう？

一般の疑問詞を用いた反語文もあります（と言うより、その方が多いかもしれません）。この場合、疑問文と形の上では同じなので、前後の文脈や話し手の雰囲気から判断します。

谁知道？　誰が知っているのか？（疑問文）
誰が知っているだろうか → いや、誰も知るまい（反語文）

哪儿有这好的话儿？
どこにそんなうまい話があるのか？（疑問文）
どこにそんなうまい話があるだろうか？
→ いや、あるはずがない（反語文）

【4】自動車関係用語

この他の自動車に関係する単語を覚えましょう。

□驾驶室　jiàshǐshì　運転席
□冷却器　lěngquèqì　ラジエター
□活塞　huósāi　ピストン
□消音器　xiāoyīnqì　マフラー
□排气管　páiqìguǎn　排気管
□变速杆　biànsùgān　シフトレバー
□底盘　dǐpán　シャーシー
□车速里程表　chēsù lǐchéngbiǎo　速度計
□保险杠　bǎoxiǎngàng　バンパー
□机器盖儿　jīqìgàir　ボンネット
□油箱　yóuxiāng　燃料タンク
□气缸　qìgāng　シリンダー
□曲轴　qūzhóu　クランクシャフト
□气化器　qìhuàqì　気化器
□油门　yóumén　アクセル
□手闸　shǒuzhá　ハンドブレーキ
□积算距离计　jīsuàn jùlíjì　オドメーター
□排挡　páidǎng　ギア

? 問題 1　次の日本語を中国語にして音読しよう。

① 75%　② 62%　③ 120%　④ 1.5%　⑤ 7割

? 問題 2　次の中国語を音読し、さらに日本語に訳そう。

① 妈妈不让孩子一面看电视一面学习。
② 180的百分之三十是多少？
③ 这月的营业额比上个月增加了两倍。
④ 都八点了。怎么能九点以前到呢？

营业额 yíngyè'é 売り上げ
都 dōu すでに もう

? 問題 3　次の日本語を中国語にしよう。

① 一着一万元のコート、誰が買えるんだ？（買えない）
② 兄は音楽を聴きながら勉強するのが大好きです。
③ ハイブリッド車の特徴は何ですか。
④ 中国人の9割は日本人を見たことがない。
⑤ これは私の問題だ。君に何が分かるのか？（分からない）

コート 大衣 dàyī
分かる 懂 dǒng

? 問題 4　次のピンインを漢字に直し、さらに日本語に訳そう。

① Sān de wǔbèi shì duōshao?
② Wǒmen yìbiān zǒu yìbiān shāngliang ba.
③ Shuí liǎojiě wǒ de xīnjìng?
④ Nándào nǐ bùzhīdao jīnglǐ de xìngmíng bùchéng?
⑤ Tài guì le! ——Nǐ kàn, shì dǎ qī zhé de. Dàodǐ shì duōshao qián?

商量 shāngliang 相談する　心境 xīnjìng 気持ち 心境　经理 jīnglǐ 社長
姓名 xìngmíng 姓名　到底 dàodǐ 結局 最終的に

LESSON 13 プレゼンテーション

张婷婷：下　周　我　要　演示，请　教　我 powerpoint 的　用法。
Xià zhōu wǒ yào yǎnshì, qǐng jiāo wǒ powerpoint de yòngfǎ.

山　本：大家　都　用 powerpoint 演示　吗？
Dàjiā dōu yòng powerpoint yǎnshì ma?

张婷婷：不一定。有的　用，有的　不　用。
Bùyídìng. Yǒude yòng, yǒude bú yòng.

山　本：首先　双击　这个　图标　启动。你　看，显示器　上　出来了
Shǒuxiān shuāngjī zhège túbiāo qǐdòng. Nǐ kàn, xiǎnshìqì shang chūlaile

幻灯片。按着　控制　键　和 M 追加　新　的　幻灯片。
huàndēngpiàn. Ànzhe kòngzhì jiàn hé M zhuījiā xīn de huàndēngpiàn.

然后　一边　改变　字体　一边　写　文章。
Ránhòu yìbiān gǎibiàn zìtǐ yìbiān xiě wénzhāng.

张婷婷：这样　做　呢。那么　用　拷贝 & 粘贴　试试　粘贴　论文
Zhèyàng zuò ne. Nàme yòng kǎobèi & zhāntiē shìshi zhāntiē lùnwén

的　文章。
de wénzhāng.

山　本：图像　文件　和　动画　也　能　贴。用　这个　标签　看看。
Túxiàng wénjiàn hé dònghuà yě néng tiē. Yòng zhège biāoqiān kànkan.

张婷婷：多么　有　意思　啊！但是　我　真的　会　用　的　吗？
Duōme yǒu yìsi a! Dànshì wǒ zhēnde huì yòng de ma?

山　本：随着　习惯，一定　越来越　会。
Suízhe xíguàn, yídìng yuèláiyuè huì.

张婷婷：哎哟，怎么　回　事？死机　了。
Āiyō, zěnme huí shì? Sǐjī le.

山　本：只有　强行　终止。哎，动　了。好像　是　动画　处理
Zhǐyǒu qiángxíng zhōngzhǐ. Āi, dòng le. Hǎoxiàng shì dònghuà chǔlǐ

容量　太　大　吗？
róngliàng tài dà ma?

张婷婷：试试　幻灯片　放映。还要　用　彩色　打　印机　印刷。
Shìshi huàndēngpiàn fàngyìng. Háiyào yòng cǎisè dǎ yìnjī yìnshuā.

演示 yǎnshì プレゼン　用法 yòngfǎ 使い方　首先 shǒuxiān 最初に　图标 túbiāo アイコン
启动 qǐdòng 起動する　幻灯 huàndēng スライド　片 piàn 平たくて小さい物
控制键 kòngzhì jiàn コントロールキー　改变 gǎibiàn 変える　字体 zìtǐ 字体 フォント　粘贴 zhāntiē 貼り付ける
拷贝＆粘贴 kǎobèi & zhāntiē コピー＆ペースト　图像 túxiàng 画像　动画 dònghuà 動画　标签 biāoqiān タブ
死机 sǐjī フリーズ　只有 zhǐyǒu ただ〜だけ　强行 qiángxíng 強行する 強引に行う　终止 zhōngzhǐ 終了する
处理 chǔlǐ 処理（する）　放映 fàngyìng 映写する：“幻灯（片）放映” スライドショー　彩色 cǎisè カラー

【1】“有的〜，有的〜”

有的用，有的不用。　ある人は使い、ある人は使わない。

“有的 yǒude 〜，有的 yǒude 〜” で「ある人（もの）は〜であり、またある人（もの）は〜だ」という意味です。

有的喜欢，有的不喜欢。　ある人は好きだが、ある人は好まない。

飞机里很无聊，有的看书，有的听音乐。　飛行機の中はひまで、ある者は本を読み、ある者は音楽を聴く。

无聊 wúliáo ひまである

有的人还记得十年前的那件事。　ある人はまだ10年前のあの事件を覚えている。

“有的时候 yǒude shíhou” = “有时候 yǒu shíhou” = “有时 yǒushí” なら、「ある時」という意味になります。

有时候是医生，有时候是外国人…　ある時は医者、またある時は外国人…

今年暑假有时去游泳了，有时去爬山了。　夏休みは、ある時は泳ぎに行き、またある時は山に登った。

派生語として “有的是 yǒudeshì” を紹介しておきます。「たくさんある」という意味の動詞です。

时间有的是，我们慢慢说话吧。　時間はたっぷりある、ゆっくり話そう。

旧的有的是，我想买时尚的衣服。　古くさいのはたくさんある、私は流行の服が欲しいんだ。

时尚 shíshàng 流行の

【2】“多么～啊”

多么有意思啊！　なんて面白いのかしら！

“多么～啊”は、自分の強い感動を相手と共有したい気持です。「なんと～だろう」「こんなに～だ」と訳します。

宋小姐多么可爱啊！　宋さんはなんて可愛いんだろう！

【3】“随着～”

随着习惯，一定越来越会。　慣れるに従って、きっとだんだんできるようになるよ。

“随着 suízhe ～”で、「～につれて、～に従って」という意味です。

随着年龄大，吃得不多了。　年齢が高くなるにつれて、たくさん食べられなくなった。
随着时间，我和她的关系变好了。　時間とともに、私と彼女の関係はずいぶん良くなった。

【4】存現文

显示器上出来了幻灯片。　ディスプレイ上にスライドが出てきた。

新たな物や人の、存在、出現、消失を表現する時、中国語では、その場所＋動詞(ある、現れる等)＋そのもの（人）という語順を取ります。この形の文を、存現文と言います。存現文は話し手の意志ではなく、ある現象があってそれに気づいた、という語感です。

外面下着雨。　外は雨が降っている。
“外面”＝その場所、“下着”＝動詞、“雨”＝降るもの、ということ。

桌子上有她的包。　机の上に彼女のバッグがある。(存在)
前面来了一个老人。　前から一人の老人が来た。(出現)
店里走去了两个客人。　店から二人の客が出て行った。(消失)

包 bāo バッグ

“来客人了。”場所を表す語が省略されていますが、これは存現文ですから「(予定していない）客が来た（出現)」という意味です。それに対して“客人来了。”は「(予期していたように）客が来た」という意味です。

? 問題1　次の中国語を音読し、さらに日本語に訳そう。

① 爸爸上班，有时候骑自行车，有时候坐巴士。
② 电视里突然出来了我朋友。
③ 随着天亮，小鸟飞出来。
④ 沙发上躺着妹妹和弟弟。

骑 qí（またがって）乗る　自行车 zìxíngchē 自転車
巴士 bāshì バス　亮 liàng 明るい　小鸟 xiǎoniǎo 小鳥
沙发 shāfā ソファー

? 問題2　次の日本語を中国語にしよう。

① 日本のご飯はなんておいしいんだろう。
② ホテルの前にはたくさんの人がいる。
③ ある人は食堂で昼食を食べ、ある人は弁当を食べる。
④ ヨーグルトはまだありますか？ ——たくさんあるよ。

ご飯 大米饭 dàmǐfàn
前 前边 qiánbian
食堂 食堂 shítáng
弁当 盒饭 héfàn
ヨーグルト 酸奶 suānnǎi

? 問題3　次のピンインを漢字に直し、さらに日本語に訳そう。

① Shùshang yǒu yì zhī xiǎoniǎo.
② Wǒ bàba yǒudeshíhou bù huíjiā hē jiǔ.
③ Lǐ lǎoshī de fūrén duōme piàoliang a!
④ Suízhe tiān rè, píjiǔ de xiāofèiliàng yě duō le.

树 shù 木
回家 huíjiā 家へ帰る
夫人 fūrén 婦人 奥さん
消费量 xiāofèiliàng 消費量

コラム　擬音語、擬態語

中国にはカタカナがないので、擬音語や擬声語も漢字で表記します。少し紹介しましょう。中国語の擬音語、擬声語は、いずれも「口へん」の漢字を当てることが多く、一声で読むのが特徴です。

【動物の鳴き声】 汪汪 wāngwāng　ワンワン（犬）／咪 mī 喵 miāo　ニャー（猫）
哞哞 mōumōu　モーモー（牛）／啾啾 jiūjiū　チュンチュン（小鳥）

【人間】 哇哇 wāwā　ワーワー（人の泣き声）／哈哈 hāhā　ハハ（人の笑い声）
呼噜呼噜 hūlūhūlū　グウグウ（いびきをかく）／扑哧 pūchī　クスッ（と笑う）
咕噜咕噜 gūlūgūlū　グーグー（おなかが鳴る）

【自然】 哗哗 huāhuā　ザーザー（雨が降る）

これらの語は、**"-地 di"** を伴って連用修飾語になることは言うまでもありません。（第9課参照）

很饿，肚子咕噜咕噜地响。　とても空腹で、おなかがグーグー鳴る。

語彙索引

数字は初出の課

存储器	cúnchǔqì	メモリー	6
存取	cúnqǔ	アクセス	6

D

答应	dāying	返事 答え	8
打电话	dǎ diànhuà	電話をかける	3
打雷	dǎ léi	雷が鳴る	6
打开	dǎkāi	開ける 開く	4
打印机	dǎyìnjī	プリンター	6
大葱	dàcōng	ネギ	2
大家	dàjiā	みんな	1
大米饭	dàmǐfàn	ごはん	2
大气污染	dàqìwūrǎn	大気汚染	4
大衣	dàyī	コート	10
大约	dàyuē	だいたい	7
大闸蟹	dàzháxiè	上海ガニ	2
大众	Dàzhòng	フォルクスワーゲン	8
带	dài	付随する	4
带状图表	dàizhuàngtúbiǎo	帯グラフ	7
担心	dānxīn	心配である	4
当然	dāngrán	もちろん 当然	8
倒	dǎo	倒れる	11
倒车	dǎochē	バックする	8
到底	dàodǐ	結局 最終的に	12
道歉	dàoqiàn	謝る	6
～的时候	de shíhou	～の時	10
得	dé	得る	7
德国	Déguó	ドイツ	8
登录	dēnglù	ログイン	6
灯丝	dēngsī	フィラメント	11
灯头	dēngtóu	ソケット	11
等等	děngděng	など 等	5
底盘	dǐpán	シャーシー	12
地方	dìfang	場所	8
地价	dìjià	地価	3
地线	dìxiàn	アース	11
地址	dìzhǐ	アドレス	6
递给	dìgěi	手渡す	10
点菜	diǎncài	料理を注文する	2
点击	diǎnjī	クリック	6
电动刮胡刀	diàndòng guāhúdāo	電気カミソリ	10
电饭煲	diànfànbāo	電気炊飯器	10
电缆	diànlǎn	ケーブル	11
电路	diànlù	回路	11
电钮	diànniǔ	スイッチ	9
电气	diànqì	電気	5
电容器	diànróngqì	コンデンサ	11
电扇	diànshàn	扇風機	10
电视机	diànshìjī	テレビ	2
电视台	diànshìtái	テレビ局	6
电线	diànxiàn	電線	9
电压	diànyā	電圧	11
吊车	diàochē	クレーン リフト	9
丢失	diūshī	紛失する	9
东西	dōngxi	もの(ここでは荷物)	4
东芝	Dōngzhī	東芝電気	10
懂	dǒng	分かる	2
动画	dònghuà	動画	13
都	dōu	すでに もう	12
豆芽	dòuyá	もやし	2
短信	duǎnxìn	ショートメッセージ	5
对～感兴趣	duì gǎn xìngqù	～に興味を持つ	11
对了	duìle	感嘆詞 そうだ！	2
对面	duìmiàn	向かい側	9
顿	dùn	食事を数える量詞	10
钝角	dùnjiǎo	鈍角	7

E

E妹儿	E mèir	Eメール	6
而且	érqiě	さらに その上	5
儿子	érzi	息子	5
耳机	ěrjī	イヤフォン	10
二号电池	èrhào diànchí	単二電池	10

F

发短信	fā duǎnxìn	ショートメールを出す	5
发出	fāchū	発する	11
发动机	fādòngjī	エンジン	8
发动机	fādòngjī	モーター	11
反对	fǎnduì	反対(する)	11
范围	fànwéi	範囲	11
方便	fāngbiàn	便利だ	7
方程式	fāngchéngshì	方程式	7
方根	fānggēn	ルート $\sqrt{\ }$	7
方向	fāngxiàng	方向	9
方向盘	fāngxiàngpán	ハンドル	8
房费	fángfèi	部屋代	9
房间	fángjiān	部屋	9
放	fàng	置く	9
放映	fàngyìng	映写する	13
放在	fàngzài	～に置く	3
放置	fàngzhì	放置する	9
发票	fāpiào	領収書(を出す)	4
发烧	fāshāo	熱が出る	6
发现	fāxiàn	見つける	11
飞机	fēijī	飛行機	8
菲利浦	Fēilìpǔ	フィリップス	10
费	fèi	費用	5
分公司	fēngōngsī	支社	3
分手	fēnshǒu	(人と)別れる	8
份儿	fènr	～人前	2
丰田	Fēngtián	トヨタ	8
弗莱明定律	Fúláimíng dìnglǜ	フレミングの法則	11
夫人	fūrén	婦人 奥さん	13

伏特	fútè	ボルト	11
福特	Fútè	フォード	8
负极	fùjí	マイナス	10
附近	fùjìn	付近	8

G

改变	gǎibiàn	変える	13
改善	gǎishàn	改善する	4
干杯	gānbēi	乾杯する	1
干酪	gānlào	チーズ	3
赶不上	gǎnbushàng	間に合わない	11
赶上	gǎnshàng	間に合う	3
刚刚	gānggāng	～したばかり	8
高度	gàodù	高度 高さ	7
高兴	gāoxìng	嬉しい	9
告诉	gàosu	言う 告げる	3
根	gēn	量詞 細長い物を数える	9
宫保鸡丁	gōngbǎojīdīng	鶏肉の唐辛子炒め	2
公共汽车	gōnggòngqìchē	路線バス	8
公升	gōngshēng	リットル	8
工厂	gōngchǎng	工場	7
工具	gōngjù	工具	9
工具箱	gōngjùxiāng	工具箱	9
工资	gōngzī	給料	5
狗	gǒu	犬	4
刮	guā	（風が）吹く	11
挂电话	guà diànhuà	電話を切る	5
拐	guǎi	まがる	4
逛	guàng	ぶらつく	8
光标	guāngbiāo	カーソル	6
关机	guānjī	電源が切ってある	5
关于	guānyú	～に関して	12
关照	guānzhào	世話をする	1
规则	guīzé	規則	4
咕噜咕噜	gūlūgūlū	グーグー	13
古老肉	gǔlǎoròu	スブタ	2
过	guò	時間がたつ 生活する	1
过高	guògāo	高すぎる	11

H

哈哈	hāhā	笑い声	2
孩子	háizi	子ども	5
海尔	Hǎi'ěr	ハイアール	10
海鲜锅巴	hǎixiān guōbā	海鮮おこげ	2
杭州	Hángzhōu	上海近辺の都市名	7
好看	hǎokàn	見た目がよい	5
好像	hǎoxiàng	どうやら～のようだ	6
号码	hàomǎ	番号	5
耗油量	hàoyóuliàng	燃費	12
盒饭	héfàn	弁当	13
合适	héshì	ぴったりだ ちょうどよい	3
红灯	hóngdēng	赤信号	4
红酒	hóngjiǔ	赤ワイン	2
后车厢	hòuchēxiāng	トランク	4
后视镜	hòushìjìng	バックミラー	8
呼噜呼噜	hūlūhūlū	グウグウ	13
户头	hùtóu	口座	5
哗哗	huāhuā	ザーザー（雨が降る）	13
花生米	huāshēngmǐ	ピーナツ	3
画	huà	（絵や図を）描く	7
画面	huàmiàn	画面	5
话费	huàfèi	通話料	5
欢迎	huānyíng	歓迎する	1
换	huàn	取り替える	8
幻灯	huàndēng	スライド	13
黄瓜	huángguā	キュウリ	2
黄酒	huángjiǔ	紹興酒	2
回答	huídá	返事する	10
回锅肉	huíguōròu	ホイコーロ	2
回家	huíjiā	家へ帰る	13
胡萝卜	húluóbo	ニンジン	2
混合动力	hùnhédònglì	ハイブリッド	12
活扳手	huóbānshǒu	モンキースパナ	9
活塞	huósāi	ピストン	12
火车票	huǒchēpiào	汽車の切符	10
火腿	huǒtuǐ	ハム	3
火花塞	huǒhuāsāi	プラグ	12

J

积分	jīfēn	積分	7
积算距离计	jīsuàn jùlíjì	オドメーター	12
机器盖儿	jīqìgàir	ボンネット	12
吉他	jítā	ギター	3
系	jì	締める 結ぶ	8
纪念	jìniàn	記念	8
技术员	jìshùyuán	技術者	1
记住	jìzhù	覚える 記憶する	2
家	jiā	店を数える量	2
驾驶室	jiàshǐshì	運転席	12
驾驶执照	jiàshǐ zhízhào	運転免許	8
尖嘴钳	jiānzuǐqián	ラジオペンチ	9
检查	jiǎnchá	検査する	11
简单	jiǎndān	簡単だ	3
减少	jiǎnshǎo	減少する	12
件	jiàn	着 衣類の量詞	6
键盘	jiànpán	キーボード	6
碱性电池	jiǎnxìng diànchí	アルカリ電池	10
建筑	jiànzhù	建設する	8
姜	jiāng	ショウガ	1
酱汤	jiàngtāng	味噌汁	8
焦耳定律	jiāo'ěrdìnglǜ	ジュールの法則	11
交通	jiāotōng	交通	4
叫	jiào	来てもらう、呼ぶ	8
接	jiē	迎える	10

接电话 jiē diànhuà 電話を受ける 5
阶段 jiēduàn 段階 12
结婚 jiéhūn 結婚（する） 5
结实 jiéshi 丈夫である 1
介绍 jièshào 紹介する 1
借 jiè 貸す 借りる 11
紧张 jǐnzhāng 緊張する 4
进步 jìnbù 進歩 1
精神 jīngshen 元気 8
经理 jīnglǐ 社長 4
啾啾 jiūjiū チュンチュン 13
酒精 jiǔjīng アルコール 1
就 jiù （～をおかずに）酒を飲む、めしを食う 3
就这样 jiù zhèyàng この様である その通り 6
旧 jiù 古い 7
举行 jǔxíng 挙行する 行う 4

K

咖啡 kāfēi コーヒー 1
卡 kǎ カード 5
卡拉OK kǎlā'OK カラオケ 2
开车 kāichē 車の運転をする 8
开动 kāidòng （機器を）動かす 9
开关 kāiguān スイッチ 10
开始 kāishǐ 開始する 1
开玩笑 kāi wánxiào 冗談を言う 5
开胃 kāiwèi 食欲が出る 1
看法 kànfǎ 見方 考え方 12
拷贝＆粘贴 kǎobèi & zhāntiē コピー＆ペースト 13
考到 kǎodào 合格する 8
考上 kǎoshang 合格する 3
考试 kǎoshì 試験 5
考虑 kǎolǜ 考える 1
靠 kào もたれかかる 寄る 4
科长 kēzhǎng 課長 3
可能性 kěnéngxìng 可能性 12
客气 kèqi 遠慮する 2
客人 kèrén お客 10
空调 kōngtiáo エアコン 10
控制键 kòngzhìjiàn コントロールキー 13
口袋 kǒudài ポケット 4
苦恼 kǔnǎo 悩み 苦しみ 8
库 kù 車庫 8
宽度 kuāndù 幅 7
矿泉水 kuàngquánshuǐ ミネラルウォーター 2
困难 kùnnán 困難 3

L

辣 là 辛い 1
来得及 láidejí 間に合う 2
篮球 lánqiú バスケットボール 3
老大 lǎodà 長男 11
烙铁 làotiě ハンダごて 9
累 lèi 疲れる 8
冷却器 lěngquèqì ラジエター 12
离合器 líhéqì クラッチ 8
离开 líkāi 離れる 11
礼物 lǐwù お土産 11
立方米 lìfāngmǐ 立方メートル 7
力量 lìliang 力 7
练习 liànxí 練習をする 1
两 liǎng 50g 十分の一斤 3
亮 liàng 明るい 13
聊 liáo 雑談する 1
烈 liè お酒が強い 1
零件 língjiàn 部品 9
零钱 língqián 小銭 3
零食 língshí 軽食 おやつ 3
另外 lìngwài 別の 他の 12
六角螺母 liùjiǎoluómǔ 六角ナット 9
漏电 lòudiàn 漏電 11
漏掉 lòudiào 見落とす 11
乱放 luànfàng 乱雑に置く 9
乱码 luànmǎ 字化け 6
轮胎 lúntāi タイヤ 8
萝卜 luóbo 大根 2
螺母 luómǔ ナット 9
螺丝 luósī ネジ 9
螺丝刀 luósīdāo ドライバー 9
螺丝钉 luósīdīng ボルト 9
旅游 lǚyóu 旅行 8

M

麻将 májiàng 麻雀 8
麻婆豆腐 mápódòufu マーボー豆腐 1
马达 mǎdá モーター 11
马自达 Mǎzìdá マツダ 8
麦当劳 Màidāngláo マクドナルド 8
满身 mǎnshēn 全身 9
慢 màn 遅い 1
毛 máo 十分の一元“角” 3
毛衣 máoyī セーター 10
铆 mǎo （リベットを）打つ 9
铆钉 mǎodīng リベット 9
梅干 méigān 梅干し 8
没想到 méi xiǎngdào ～とは思わなかった 1
蒙古族 Měnggǔzú モンゴル族 8
咪 mī ニャー 13
迷糊 míhú ぼんやりしている 10
密码 mìmǎ パスワード 6
免费 miǎnfèi 無料 6
面包 miànbāo パン 2
面包炉 miànbāolú トースター 10
面积 miànjī 面積 7

面前	miànqián	面前	11
喵	miāo	ニャー	13
哞哞	mōumōu	モーモー	13

N

拿	ná	持つ 取る 奪う	11
拿走	názǒu	持つ 持って行く	3
那么	nàme	接続詞 それでは	9
难	nán	難しい	5
男孩	nánhái	男の子	5
南京东路	Nánjīngdōnglù	南京東路 上海の繁華街	8
尼龙	nílóng	ナイロン	11
念	niàn	音読する	11
拧	nǐng	ねじる ひねる	9
拧紧	nǐngjǐn	きつく締める	9
牛肉干	niúròugān	ビーフジャーキー	3
扭矩	niǔjǔ	トルク	11
纽扣电池	niǔkòu diànchí	ボタン電池	10
暖和	nuǎnhuo	暖かい	7
女孩儿	nǚháir	女の子 娘さん	5
女演员	nǚyǎnyuán	女優	6

O

欧姆定律	Ŏumǔdìnglǜ	オームの法則	11
欧州	Ŏuzhōu	ヨーロッパ	12

P

排挡	páidǎng	ギア	12
排队	páiduì	並ぶ 列を作る	4
排气管	páiqìguǎn	排気管	12
派对	pàiduì	パーティー	11
胖	pàng	太っている	1
抛物线	pāowùxiàn	放物線	7
跑	pǎo	走る	1
跑进来	pǎojìnlai	走り込んで来る	4
片	piàn	平たくて小さい物	13
漂亮	piàoliang	美しい	1
平方米	píngfāngmǐ	平方メートル	7
扑哧	pūchī	クスッ（と笑う）	13
普及	pǔjí	普及する	12

Q

骑	qí	（またがって）乗る	13
奇怪	qíguài	不思議 奇妙	11
起床	qǐchuáng	起床する	2
起飞	qǐfēi	飛び上がる 離陸する	9
起重机	qǐzhòngjī	クレーン	9
启动	qǐdòng	起動する	13
气缸	qìgāng	シリンダー	12
气化器	qìhuàqì	気化器	12
汽油	qìyóu	ガソリン	8
千斤顶	qiānjīndǐng	ジャッキ	9
千万	qiānwàn	じゅうぶんに くれぐれも	9
钱包	qiánbāo	財布	3
前边	qiánbian	前	13
前门	Qiánmén	北京の繁華街	1
钳子	qiánzi	ペンチ	9
墙壁	qiángbì	壁	7
强行	qiángxíng	強行する 強引に行う	13
敲	qiāo	たたく	9
芹菜	qíncài	セロリ	2
清楚	qīngchu	はっきりしている	7
青椒肉丝	qīngjiāoròusī	チンジャオロース	2
轻油	qīngyóu	軽油	12
区别	qūbié	区別	11
曲轴	qūzhóu	クランクシャフト	12
全场	quáncháng	満場、店中	12

R

热狗	règǒu	ホットドッグ	3
热闹	rènao	賑やか	3
日本电气	Rìběndiànqì	NEC	10
肉	ròu	肉	1
肉包子	ròubāozi	肉まん	2
软件	ruǎnjiàn	ソフトウェア	6
软线	ruǎnxiàn	コード	11
锐角	ruìjiǎo	鋭角	7

S

撒谎	sāhuǎng	うそをつく	10
三鲜汤	sānxiāntāng	ミックススープ	2
三星	Sānxīng	サムスン	10
散步	sànbù	散歩する	10
扫描器	sǎomiáoqì	スキャナー	6
刹车	shāchē	ブレーキ	8
沙发	shāfā	ソファー	13
上班	shàngbān	出勤する	1
上网	shàngwǎng	ネットに接続する	6
商量	shāngliang	相談する	1
赏月	shǎngyuè	月を愛でる 月見をする	12
烧坏	shāohuài	燃えて壊れる	11
烧卖	shāomài	シュウマイ	2
稍等一下	shāoděng yíxià	しばらくお待ち下さい	4
少见	shǎojiàn	珍しい	12
设备	shèbèi	装置 機械	11
设计	shèjì	デザイン	5
设计图	shèjìtú	設計図	7
设置	shèzhì	設定する	11
申	Shēn	人名	3
什么样	shénmeyàng	どのような	8
身高	shēngāo	身長	7

身体	shēntǐ	身体	1
生词	shēngcí	新出単語	2
生气	shēngqì	怒る	4
声音	shēngyīn	声 音	11
省电	shěngdiàn	省電力	5
视窗	Shìchuāng	ウィンドウズ	6
师傅	shīfu	技術職への尊称	4
实际	shíjì	実際に	7
时代	shídài	時代	12
时候	shíhou	時	10
时尚	shíshàng	流行の	13
食堂	shítáng	食堂	13
十字路口	shízì lùkǒu	十字路 交差点	4
使用手册	shǐyòng shǒucè	マニュアル	11
试试	shìshi	やってみる	5
收短信	shōuduǎnxìn	ショートメッセージを受ける	5
收录音机	shōulùyīnjī	ラジカセ	10
收拾	shōushi	片づける	9
收音机	shōuyīnjī	ラジオ	10
首先	shǒuxiān	最初に	13
手闸	shǒuzhá	ハンドブレーキ	12
售货员	shòuhuòyuán	店員	3
蔬菜	shūcài	野菜	1
输入	shūrù	入力 インプット	6
输出	shūchū	出力 アウトプット	6
鼠标	shǔbiāo	マウス	6
暑假	shǔjià	夏休み	7
薯条	shǔtiáo	ポテトフライ	3
数码相机	shùmǎxiàngjī	デジタルカメラ	6
树	shù	木	13
刷牙	shuāyá	歯を磨く	1
涮羊肉	shuànyángròu	羊のしゃぶしゃぶ	2
双击	shuāngjī	ダブルクリック	6
睡觉	shuìjiào	寝る	1
司机	sījī	運転手	4
死机	sǐjī	フリーズ	13
四季豆	sìjìdòu	インゲン豆	2
松	sōng	緩い 緩める	9
松下	Sōngxià	松下電気	10
酸奶	suānnǎi	ヨーグルト	13
随便	suíbiàn	自由に	2
碎	suì	砕ける	11
锁	suǒ	カギをかける	11
索尼	Suǒní	ソニー	10

T

弹	tán	ギターなどを弾く	3
台	tái	パソコンの量詞 台	6
台式电脑	táishìdiànnǎo	デスクトップパソコン	6
躺	tǎng	横になる	12
糖醋鱼	tángcùyú	揚げ魚の甘酢あんかけ	2
讨论	tǎolùn	討論する	12
特点	tèdiǎn	特徴	12
体积	tǐjī	体積	7
替	tì	～に代わって	10
添附文件	tiānfù wénjiàn	添付ファイル	6
天天	tiāntiān	毎日	6
甜	tián	甘い	4
铁板	tiěbǎn	鉄板	9
通用	Tōngyòng	ゼネラルモータース	8
通用电气	Tōngyòngdiànqì	GE	8
同意	tóngyì	同意する	12
偷	tōu	盗む	11
头戴式耳机	tóudàishì ěrjī	ヘッドフォン	10
头发	tóufa	頭髪	9
头疼	tóuténg	頭が痛い	6
偷偷摸摸	tōutōumōmō	こそこそ 秘密に	9
突然	tūrán	突然	8
图标	túbiāo	アイコン	6
图像	túxiàng	画像	13
推荐	tuījiàn	推薦する	8
退出	tuìchū	ログアウト	6
椭圆	tuǒyuán	楕円	7

U

U盘	U pán	USB	6

W

哇哇	wāwā	ワーワー（人の泣き声）	13
瓦特	wǎtè	ワット“瓦 wǎ”とも	11
外国人	wàiguórén	外国人	8
弯	wān	曲げる 曲がる	9
晚点	wǎndiǎn	（電車等が）遅れる	6
豌豆	wāndòu	エンドウ豆	3
汪汪	wāngwāng	ワンワン	13
往	wǎng	～へ	4
网球	wǎngqiú	テニス	1
网上聊天儿	wǎngshang liáotiānr	チャット	6
微波炉	wēibōlú	電子レンジ	10
微分	wēifēn	微分	7
微软	Wēiruǎn	マイクロソフト	6
微信	wēixìn	ウイーチャット	5
威士忌	wēishìjì	ウィスキー	3
危险	wēixiǎn	危険	9
维生素	wéishēngsù	ビタミン	11
位置	wèizhì	位置 場所	9
位	wèi	人を数える量詞	1
为了	wèi le	～のために	1
文件	wénjiàn	ファイル	6
屋顶	wūdǐng	屋上	7
无聊	wúliáo	ひまである	13
无线	wúxiàn	無線	6
午饭	wǔfàn	昼食	2

五号电池	wǔ hào diànchí	単三電池	10
误差	wùchā	誤差	11
误车	wùchē	乗り遅れる	3

X

吸尘器	xīchénqì	掃除機	10
西红柿	xīhóngshì	トマト	11
习惯	xíguàn	慣れる	6
喜欢	xǐhuan	好む	1
喜欢上	xǐhuanshàng	好きになる	9
洗手	xǐshǒu	手を洗う	1
洗碗机	xǐwǎnjī	食器洗い機	10
洗衣机	xǐyījī	洗濯機	10
洗澡	xǐzǎo	入浴する	1
系数	xìshù	係数	7
下次	xiàcì	この次	10
下雨	xiàyǔ	雨が降る	1
咸	xián	塩辛い	4
显示器	xiǎnshìqì	ディスプレイ	6
现代	Xiàndài	ヒュンダイ	8
羡慕	xiànmù	うらやましい	6
线圈	xiànquān	コイル	11
相反	xiāngfǎn	反対 逆	9
香港	Xiānggǎng	香港	6
响	xiǎng	鳴る	5
想法	xiǎngfǎ	考え方	8
向	xiàng	～に	6
消费量	xiāofèiliàng	消費量	13
消息	xiāoxi	ニュース 知らせ	11
消音器	xiāoyīnqì	マフラー	12
小鸟	xiǎoniǎo	小鳥	13
小汽车	xiǎoqìchē	乗用車	5
小说	xiǎoshuō	小説	2
小摊儿	xiǎotānr	屋台	3
小学生	xiǎoxuéshēng	小学生	4
笑	xiào	笑う	11
些	xiē	少し	10
斜口钳	xiékǒuqián	ニッパー	9
心境	xīnjìng	気持ち 心境	12
信号灯	xìnhàodēng	信号	4
行	xíng	行ける 大丈夫	5
行李箱	xínglǐxiāng	トランク	8
行驶	xíngshǐ	(車が) 走る	4
兴趣	xìngqù	興味	11
姓名	xìngmíng	姓名	12
性能	xìngnéng	性能	6
需要	xūyào	必要である	9
许	Xǔ	人名	3
蓄电池	xùdiànchí	バッテリー	8

Y

严重	yánzhòng	重大である	10
演示	yǎnshì	プレゼン	13
仰角	yǎngjiǎo	仰角	7
样子	yàngzi	様子 見た目	7
遥控	yáokòng	リモコン	10
要命	yàomìng	死ぬほど	1
压缩机	yāsuōjī	コンプレッサー	11
一定	yídìng	きっと	1
一般	yìbān	ふつう	8
一点儿	yìdiǎnr	少し	1
椅子	yǐzi	椅子	3
意见	yìjiàn	意見	11
意思	yìsi	意味	3
意味深长	yìwèi shēncháng	意味深長である	9
引擎	yǐnqíng	エンジン	8
因特网	yīntèwǎng	インターネット	6
樱树	yīngshù	桜の木	11
营业额	yíngyè'é	売り上げ	12
硬	yìngjiàn	ハードウェア	6
用	yòng	～を使って	6
用法	yòngfǎ	使い方	13
用户	yònghù	ユーザー	6
油门	yóumén	アクセル	12
油漆	yóuqī	ペンキ	7
油箱	yóuxiāng	燃料タンク	12
游隙	yóuxì	歯車の遊び	9
有点儿	yǒudiǎnr	少し 少々	4
有时	yǒushí	時々	11
有意思	yǒuyìsi	面白い	1
又	yòu	また	6
余弦	yúxián	コサイン	7
语气助词	yǔqì zhùcí	語気助詞	5
雨刷子	yǔshuāzi	ワイパー	8
玉米汤	yùmǐtāng	コーンスープ	2
圆	yuán	円	7
圆规	yuánguī	コンパス	7
圆形图表	yuánxíngtúbiǎo	円グラフ	7
圆周率	yuánzhōulǜ	円周率	7
院子	yuànzi	庭	4
允许	yǔnxǔ	許す 認める	11

Z

咱们	zánmen	(相手もふくめて) 我々	2
早饭	zǎofàn	朝食	1
炸鸡肉	zhájīròu	フライドチキン	3
粘贴	zhāntiē	貼り付ける	13
占线	zhànxiàn	話し中	5
张洁	Zhāng Jié	人名	11
长	zhǎng	成長する	6
丈夫	zhàngfu	男性配偶者	9
找	zhǎo	おつりを出す	3
找	zhǎo	探す	9
照片	zhàopiàn	写真	4
折线图表	zhéxiàn túbiǎo	折れ線グラフ	7
这么	zhème	こんなに	1
整齐	zhěngqí	きちんとしている	9

正极	zhèngjí	プラス	10
正切	zhèngqiē	タンジェント	7
正弦	zhèngxián	サイン	7
只	zhī	動物の量詞 匹	4
只有	zhǐyǒu	ただ〜だけ	13
支付	zhīfù	支払う	5
知道	zhīdao	知る 知っている	4
直径	zhíjìng	直径	7
直线图表	zhíxiàn túbiǎo	棒グラフ	7
指定	zhǐdìng	指定する	9
质量	zhìliàng	品質	8
智能手机	zhìnéng shǒujī	スマートフォン	5
衷心	zhōngxīn	心から	8
终止	zhōngzhǐ	終了する	13
种	zhǒng	種類	7
周末	zhōumò	週末	7
注意	zhùyì	注意する	9
准备	zhǔnbei	準備する	9
仔细	zǐxì	子細に	11
自行车	zìxíngchē	自転車	13
自学	zìxué	自分で学ぶ	1
字体	zìtǐ	字体 フォント	13
走	zǒu	行く	2
钻孔机	zuānkǒngjī	ドリル	9
左右	zuǒyòu	〜くらい	1
座	zuò	建物等の量詞	7
座席	zuòxí	シート	8
作业	zuòyè	作業 宿題	7
足球	zúqiú	サッカー	3

理系のための中国語《発展編》

2018 年　4 月　1 日　初版発行
2021 年 11 月　1 日　2 刷発行

■ 編　中国地区高専中国語中国教育研究会
津山工業高等専門学校・教授　杉山明（代表）
宇部工業高等専門学校・教授　畑村学
新居浜工業高等専門学校・教授　野田善弘
函館工業高等専門学校・教授　泊功
松江工業高等専門学校・教授　橋本剛
大連東軟信息学院　張婷婷
大連東軟信息学院　張潔

■ 発行者　尾方敏裕

■ 発行所　株式会社 好文出版
〒162-0041　東京都新宿区早稲田鶴巻町 540　林ビル 3F
Tel.03-5273-2739　Fax.03-5273-2740
http://www.kohbun.co.jp

ISBN978-4-87220-212-0